図解

いちばんやさしく丁寧に書いた

青色申告の本

'25年版

成美堂出版

はじめに

　この本を手に取ったあなたは、どんな人でしょうか。会社をやめて独立を考えている人？　すでに個人事業を始めていて、青色申告のメリットを手にしたいと思っている人？

　青色申告は、一言でいえば、こうした人たちの税金を軽くできる申告方法です。もちろん無条件で、というわけにはいきません。簿記のルールに則った「帳簿」を、きちんとつけることが求められます。

　「簿記」「帳簿」と聞いて、腰が引けてしまうかもしれません。しかし、最近では、パソコンを使って帳簿つけができる会計ソフトが、めざましく進歩しています。以前と比べて、かかる手間は格段に少なくなっています。一方で、青色申告により得られるメリットは、見逃せないものばかりです。

　恐れることはありません。本書を読んでみてください。きっと「これなら自分もできる！」と思われることでしょう。青色申告の実践により、多くの人が税制上のメリットを手にし、よりよい事業活動をされることを願います。

2024 年 10 月

税理士法人千代田タックスパートナーズ
税理士　今村　正

図解 いちばんやさしく丁寧に書いた青色申告の本 '25年版……目次

はじめに —— 2

さあ、あなたも青色申告にチャレンジしよう —— 10

青色申告 最初のギモン Q&A
Q1 そもそも、青色申告って何ですか？ —— 12
Q2 どんな人が青色申告を行うのですか？ —— 14
Q3 個人事業主は、どんな税金を納めることになりますか？ —— 16
Q4 どれくらい手間がかかるのですか？ —— 18
Q5 青色申告にするとトクになりますか？ —— 20

● 青色申告あれこれコラム インボイス制度について確認しておこう —— 22

PART 1
青色申告にすれば
こんなにトクする7大ポイント

青色申告のメリット一覧
青色申告にはメリットがたくさんある —— 24

おトクポイント①
10万円または55万円（65万円）を所得から差し引ける —— 26

おトクポイント②
赤字になったら翌年以降の税金を軽くできる —— 28

おトクポイント③
家族への給与を必要経費にできる —— 30

おトクポイント④
「貸倒引当金」で代金の取りはぐれに備えられる —— 32

おトクポイント⑤
30万円未満の備品（固定資産）を一度に経費にできる —— 34

おトクポイント⑥
帳簿をきちんとつけるため信用度が上がる —— 36

おトクポイント⑦
帳簿つけで、事業の状態を正確につかめる —— 38

● 青色申告あれこれコラム 「小規模企業共済」は節税にも役立つ —— 40

PART 2
申請すれば今日からあなたも「青色申告事業者」
スタートの手続きと3つのコース

届け出書類一覧
税務署へ届け出れば「青色申告事業者」になれる —— 42

所得税の青色申告承認申請書
新規開業の場合は開業後2か月以内に出す —— 44

個人事業の開業・廃業等届出書
事業を始めたときは開業を届け出る —— 46

青色事業専従者給与に関する届出書
家族が一緒に働く(専従者)なら届け出が必要 —— 48

給与支払事務所等の開設届出書など
従業員を雇うなら源泉徴収の書類を提出する —— 50

青色申告の3コース
申請するときに3つのコースから選べる —— 52

「簡易簿記」…10万円控除コース
こづかい帳感覚の帳簿で10万円の控除が受けられる —— 54

「複式簿記」…55万円(65万円)控除コース
55万円(65万円)控除を得たいなら複式簿記を選ぶ —— 56

● 青色申告あれこれコラム　インボイス発行事業者になるには
　　　　　　　　　　　　　課税事業者になる必要がある —— 58

PART 3
事業ではお金の管理も大きな仕事
青色申告に欠かせない「帳簿つけ」の基本

青色申告の1年間
青色申告のスケジュールをチェックしよう —— 60

帳簿とは
儲け続けるには帳簿は欠かせない —— 62

会計ソフトの活用
会計ソフトを使えば知識なしでも始められる —— 64

図解 いちばんやさしく丁寧に書いた青色申告の本 '25年版……目次

帳簿の保管
帳簿は7年間保管しなければならない —— 66

青色申告のルール
青色申告は取り消される場合がある —— 68

預金通帳の扱い
事業専用の預金通帳をつくっておこう —— 70

取引書類の扱い
書類をつくったら・受け取ったらすぐに整理しておこう —— 72

領収書の整理法
領収書は「すぐ探せる」方法で整理する —— 74

出金伝票の活用
領収書がなければ、記録して証拠を残しておく —— 76

●青色申告あれこれコラム インボイスや消費税に関する帳簿への記載に注意する —— 78

PART 4
会計ソフトならわかりやすい！
5つの基本帳簿を使いこなす

会計ソフトによる帳簿つけ
初心者は伝票方式より帳簿方式を選ぼう —— 80

複式簿記に必要な帳簿
5つの基本帳簿（補助簿）にすべての取引を入力 —— 82

お金の出入りを分類・把握①
現金と預金は別の帳簿に記録する —— 84

お金の出入りを分類・把握②
「勘定科目」ですべての取引を区分けする —— 86

現金出納帳
手元の現金と帳簿残高はいつも同じでなければならない —— 90

預金出納帳
銀行口座のお金の出入りを管理する —— 92

売掛帳
請求書を出した時点で入力する —— 94

買掛帳
請求書を受け取った時点で入力する —— 96

固定資産台帳
「減価償却」する備品は別扱いでまとめておく —— 98

その他の帳簿
経理をスムーズにする帳簿を活用しよう —— 100

●青色申告あれこれコラム 車のさまざまな費用、きっちり経費にしよう —— 102

（集中講義）仕訳の基礎知識
複式簿記は習うより慣れよ

複式簿記の基本
1つの取引を2つに分けて考える —— 104

貸借対照表と損益計算書
取引を仕訳して決算時の重要書類がつくられる —— 106

資産（借方）
今あるお金とこれからお金になるもの —— 108

費用（借方）
利益を得るために使ったお金 —— 110

負債（貸方）と資本（貸方）
事業のために借りてきたお金、自ら出したお金 —— 112

収益（貸方）
事業によって手に入れたお金 —— 114

●青色申告あれこれコラム 税理士にお願いするといくらかかる？ —— 116

PART 5
初心者が必ず迷う仕訳と勘定科目
こんなときどうする 帳簿ケーススタディ

商品を値引きして売った
値引きした分は帳簿からきちんと引いておく —— 118

振込手数料を負担した
振込手数料は「振替伝票」で処理する —— 120

仕事前に手付金をもらった
手付金は「前受金」「前渡金」として入力する —— 122

銀行からお金を借りた
利息は、元本と分けて必要経費にできる —— 123

外注費を支払う
相手が法人なら源泉徴収の必要はない —— 124

クレジットカードで備品を買った
実際の引き落としのときに帳簿入力すればOK —— 125

仕事用の車を買った
中古なら償却期間が短いので節税効果が高い —— 126

取引先が倒産した
取りはぐれた売掛金は「貸し倒れ」で処理する —— 128

個人の貯金から事業費用を出した
「プライベート」の自分から借りたことにする —— 130

消費税はどうする?
売上1000万円以下なら消費税を納めなくてよい —— 132

消費税の計算
経理の手間を省くなら消費税「込み」で計算する —— 134

●青色申告あれこれコラム あこがれの「法人成り」、いつ実行する? —— 136

PART 6
個人事業主の最大の節税ポイント
必要経費になるもの ならないもの

必要経費の範囲
事業にかかわるものはすべて必要経費にできる —— 138

自宅が仕事場の家賃
仕事に使う床面積分が経費になる —— 140

自宅が仕事場の電気代や電話代
仕事で使った割合を明確にすることが必要 —— 142

支払った税金
消費税や固定資産税なら経費にできる —— 144

郵便代や荷造代
商品の発送に関するものは「荷造運賃」にまとめる —— 146

交通費
「交通費精算書」につけて月末にまとめる —— 148

事業にかかわる飲食代など
接待交際費は相手によって扱いが変わる —— 150

事務所などの修繕費用
大きな修繕は減価償却の対象になることも —— 152

備品の購入
備品はすべて「消耗品費」でまとめる手もある —— 154

●青色申告あれこれコラム 事業のスタートは、手ぬかりなく行おう —— 156

PART 7

青色申告決算書と確定申告書を出そう
**1年間のソントクの総まとめ
決算・確定申告**

決算・申告の流れ
帳簿のもれやミスを見逃さない —— 158

決算整理…年をまたぐお金
今年の収入に入れるもの、翌年の収入にするものを分ける —— 160

決算整理…棚卸資産
年末に残った在庫の数を確認する —— 162

棚卸資産の計算
青色申告だけが使える有利な在庫の計算法がある —— 164

決算整理…減価償却費
今年の決算に入れる減価償却費を確認する —— 166

青色申告決算書をつくる
事業の成果を確認しながらチェックしていこう —— 168

図解 いちばんやさしく丁寧に書いた青色申告の本 '25年版……目次

確定申告
3月15日までに税務署に提出する —— 176

確定申告書をつくる①
今年1年分の納める税金を計算する —— 178

確定申告書をつくる②
第一表の記載内容の内訳を明らかにする —— 180

所得控除の種類
節税できる最終ポイント 使える控除を見逃さない —— 182

e-Tax
インターネットで申告すれば税務署へ行かなくてすむ —— 188

赤字のときの確定申告
損失申告書で繰越控除の手続きをしておく —— 190

税務調査
ずさんな申告にはペナルティが科されることも —— 192

次の年の事業に向けて
翌年に引き継ぐお金、今年限りのお金 —— 194

1年間の事業を評価
青色申告決算書の数字を読みとく —— 196

●巻末資料
主な固定資産の耐用年数／償却率表 —— 198

さくいん —— 202

本書の情報は、原則として令和6年10月現在のものです。
申告の際は、必ずご自身で国税庁等の発表する最新情報をご確認ください。
また本書は、原則として法人ではない個人事業主として事業を営む人を対象としています。

さあ、あなたも青色申告にチャレンジしよう

個人で事業を行う場合には、自分で1年間の収支を計算し、確定申告をして税金を納めなければなりません。このとき、「青色申告」なら、税金を有利にできます。あなたも青色申告を考えてみませんか。

会社をやめて、独立することを考えているAさん

個人事業をしていて、白色申告（通常の確定申告）をしているBさん

副業をしていて、年々利益が増えてきたCさん

質問① 手元に残るお金は少しでも多いほうがよい？

質問② 毎年の利益は増やしていきたいと思う？

そりゃどちらもイエス…

でも…

- きちんとした帳簿をつけるなんて面倒そう
- 簿記の勉強が必要なのでは？
- 計算は大の苦手
- 忙しくて、決められた、帳簿をつける暇なんてない

会計ソフトを活用すればだいじょうぶ！

合計などは自動計算される自動転記で、帳簿つけの手間は最小限ですむ

簿記の知識がなくても、帳簿方式（➡80ページ）なら、すぐ始められる

青色申告をすれば

最大65万円を所得から差し引けるなど、さまざまな特典を受けることができ、税金を減らすことができる（➡パート1・24〜35ページ）

正しく帳簿をつけることで、無駄な出費をチェックしたり、今後の経営計画を考えることに役立てられる（➡パート1・36〜39ページ）

次ページからのQ&Aで、青色申告の疑問や不安を解決していこう

青色申告 最初のギモン Q&A

Q1 そもそも、青色申告って何ですか？

収入があれば確定申告が必要になる

どんな内容であれ、一定の所得を得た人は、それに見合った税金（主に所得税）を納めなければなりません。この税金の額を決めるために行うのが**確定申告**です。税金の額は、その人の1年間の**収入や売上**（得たお金の総額）から、その収入や売上を得るためにかかったお金（必要経費など）を引いた、**所得**によって決まります。

ほとんどの会社員は、確定申告をしたことがないでしょう。それは会社が個々の社員の所得の計算を行い、同時に納税もしてくれるからです。

しかし、会社とは関係なく、個人で収入を得た場合、誰かが代わりに、税金の計算・納税をしてくれるわけではありません。自分で1年間の所得を計算し、確定申告により、税金を納めなければならないのです。

確定申告は2つのタイプから選べる

確定申告には、「**青色申告**」と「**白色申告**」の2種類があります。会社をつくらず、個人で仕事をする人（**個人事業主**）は、どちらかを選択できます。

2つの大きな違いは、事業にかかわるお金の出入りを記録する「**帳簿**」をつける義務があるかどうかでしたが、現在は白色申告の場合もすべて記帳が義務づけられています。ただし、青色申告の帳簿つけは「複式簿記」などややハードルが高いものです（➡56ページ）。

その代わりに、青色申告ではさまざまな「税金が安くなる特典」を受けられます。その分、使えるお金が増えるのです。「**個人事業主は青色申告をするべき**」といわれるのはこのためです。

個人事業の確定申告には「青」と「白」がある

会社員の税金（所得税）

毎月の給与

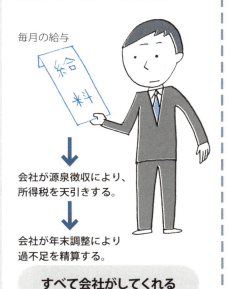

会社が源泉徴収により、所得税を天引きする。

会社が年末調整により過不足を精算する。

すべて会社がしてくれる

個人事業主の税金（所得税）

自分で税額を計算して、確定申告する

確定申告の方法は大きく2種類

青色申告
・有利な取り扱いを受けられ、税金が軽くなる

・帳簿をつけ、税務署に所定の申告書とともに決算書を提出する

・事前に届け出が必要

白色申告
・事業所得の額にかかわらず白色申告者も記帳が必要

・届け出は不要

青色申告 最初のギモン Q&A

Q2 どんな人が青色申告を行うのですか？

誰でも青色申告できるわけではない

「青色申告すると税金が安くなる」と聞けば、誰でも青色申告をしたくなります。しかし、青色申告が認められるには条件があります。その所得が、右ページのいずれかでなければならないのです。そのため、**会社員の給与による収入や、株や不動産の売買などによる収入では、青色申告を選ぶことはできません。**

なお、所得は法律によって10種類に区分されています。たとえば、会社員の給与は「給与所得」、不動産売買によって得た収入は「譲渡所得」となります。

その他、株の配当金などの「配当所得」、退職金などの「退職所得」、預貯金などの利息の「利子所得」、ギャンブルなどの儲けの「一時所得」、いずれにも当てはまらない「雑所得」があります。ただし、右ページの3つ以外の所得では青色申告はできません。

事業所得は、事業によって儲けたお金

飲食店や小売店をはじめ、個人で事業を営む人の多くは、「**事業所得**」という区分に当てはまるでしょう。事業所得とは、イコール事業で得た収入、ではありません。収入から、仕入れにかかった費用や、その他、事業のためにかかった経費（合わせて必要経費という）を引いた金額、いわゆる「**儲け**」のことです。

青色申告では、この必要経費を有利に扱うことができ、その分税金が安くなるのです。

14

青色申告できる所得の種類は決まっている

1 事業所得

小売業、製造業、農業、各種サービス業など、自らの商売により得る所得。「事業による総収入－必要経費」により算出する。

2 不動産所得

マンションやアパート、駐車場などを人に貸して得る（賃料）所得。不動産所得を得るためにかかった費用（固定資産税、修繕費、減価償却費（➡98ページ）など）を、経費として引いて算出する。

3 山林所得

山林を所有し、山林の伐採や譲渡することで得る所得。植林や伐採、運搬の費用などが必要経費になる。

✓ これも知っておこう
会社員でも青色申告できる？

給与所得の会社員でも、副業（事業所得となるもの）がある人や、アパートや駐車場の賃料などの不動産所得がある人なら、青色申告ができます。ただし、税金の計算は給与所得とは別に扱います。青色申告できるのは、事業所得、不動産所得の部分のみです。

15

青色申告 最初のギモン Q&A

Q3 個人事業主は、どんな税金を納めることになりますか？

事業を始めると、こんな税金を納めることになる

会社員も個人事業主も、働いて収入を得ているのですから、納める税金の種類は基本的に同じです。

右ページにあるように、その儲け（所得）の金額に応じて、**所得税（＋復興特別所得税）**、**住民税**を納めます。会社員と違うのは、自分で税額を計算して、自分で納めるという点です。所得税（＋復興特別所得税）は、翌年3月15日まで*に、確定申告をして納税します。住民税は、前年の確定申告による所得をもとに各市区町村が通知してくるので、申告は不要です。また、**個人事業税**や**消費税**などが加わることもあります。

税金は後払いであるため、確定申告の計算結果や、その後通知される住民税額などを見てあわてないよう、収入から一定額を取りのけておくなど、税金の支払いの準備も考えておかなければなりません。

青色申告で、すべての税金が有利になる

事業を始めた当初は、そんなに儲けたつもりがなくても「こんなに税金がかかるの！」と驚くかもしれません。少しでも税金を減らしたい、と考えるのは当然です。でも、それができるのは、税理士など「専門知識のある人だけ」と思っている人も多いでしょう。

しかし、青色申告に、特別な税金の専門知識やテクニックは不要です。**帳簿をきちんとつけることで、誰もが必要経費を増やして所得を少なくすることができます。**所得金額によって、所得税や住民税の税額が決まりますから、青色申告は、税金を安くすることにつながるのです。

*土日の関係で1〜2日後にずれる場合あり（令和6年分は3月17日・以下同）。

申告した所得で税額が決まる

事業により得た所得（事業所得）
総収入金額－必要経費（費用）

確定申告により納める税金 ↓

通知により納める税金（申告不要） ↓

所得税＋復興特別所得税
1月1日〜12月31日の1年間に得た個人の所得に対してかかる税金。会社員は勤務先で給与から天引きされている。個人事業主は、この計算から確定申告、納付まで自分で行う。

消費税
物の売買やサービスなどにかかる税金。たとえば、物を販売すれば消費税を受け取り、仕入れをすれば消費税を支払う。原則として前々年の売上が1000万円以下なら、納税義務が免除される（インボイス制度登録なら納付が必要）。

住民税
住んでいる都道府県と市区町村に納める税金。前年の所得を基準として税額が計算される。6月ごろ送られてくる納付書により納める。

個人事業税
事業所得が年290万円超の個人事業主には事業税が生じる。都道府県が税額を計算し、その通知を受けて納付する。

＊事業所得から事業主控除（290万円）を引いた金額×3〜5％（税率は業種により異なる）。

注・前年の所得をもとに金額が決まるものには、住民税の他、国民健康保険料などがある。

青色申告 最初のギモン Q&A

Q4 どれくらい手間がかかるのですか？

事業にかかわるお金の流れを、帳簿につける

　青色申告は、**国が認めた、税金を軽くできる制度です**。税務署は、個々の収入や取引内容を把握するのが難しいため、個人が正しくお金の出入りを記録し、正しい申告と納税をすれば、税金が安くなるようにしているのです。

　青色申告では、正しく税金を計算しているか確認できるよう、「**帳簿**」の記帳が義務づけられます。帳簿とは、その事業にかかわるお金のやりとりを、「**簿記**」という一定のルールにしたがって記録するものです。

　帳簿は、お金のやりとりの内容に応じて、数種類が必要になります（事業内容によって必要になる帳簿は異なる）。また、当然ながら、帳簿には正確さが求められます。

パソコンで会計ソフトを使えば手間いらず

　以前は簿記の知識を身につけたうえで、手書きで帳簿をつけていました。複数の帳簿があれば、それだけ書き写したり、計算したりする手間がかかったのです。そのため、青色申告は難しい、面倒くさいと敬遠する人も多くいました。しかし、現代はパソコン時代。専用の会計ソフトを使えば、**簿記の知識が必要な部分や面倒な計算は、自動的にソフトがしてくれます**。帳簿が複数あっても、それぞれに自動転記されるため、手間はかかりません。

　また、**白色申告でも所得金額にかかわらず、原則として帳簿が必要です**。青色申告より簡便なものでよいのですが、会計ソフトを使うなら、そう手間は変わりません。どのみち帳簿が必要なら、節税効果の高い青色申告を選ぶべきでしょう。

青色申告では、帳簿つけと決算が必要になる

参考

白色申告の作業

毎日の取引を帳簿*につけていく
事業所得 300 万円以下も対象。

*ただし、青色申告よりも簡単なものでよい。

↓

年明けに収支内訳書と確定申告書をつくる
収支内訳書は、青色申告決算書より簡単な内容となっている。

青色申告の作業

毎日の取引をそれぞれの帳簿*につけていく
* 55 万円（65 万円）控除なら正規の簿記に基づくもの（26 ページ参照）。

会計ソフトを使えば！
・簿記の知識がなくても記帳できる。

↓

年明けに、決算（➡158ページ）を行い（青色申告決算書の作成）、確定申告書をつくる

↓

確定申告と納税

 これも知っておこう
白色申告も帳簿つけと保存が必須

白色申告の場合も所得金額にかかわらず、帳簿つけと帳簿の保存が義務づけられています。ただし、帳簿は売上や仕入、必要経費を1日ごとに合計して記載するなど、簡単なものでかまいません。この帳簿は7年間、その他の帳簿や関係書類は5年間の保存が必要になります。

青色申告 最初のギモン Q&A

Q5 青色申告にすると トクになりますか？

青色申告にはこんなメリットがある

　青色申告による最大のメリットは「**青色申告特別控除**」です。青色申告を行うだけで、最大 **65万円**（原則55万円。青色申告の内容により65万円、10万円の場合あり ➡26ページ）**を所得から差し引くことができます。**その他、家族が事業に専従した場合、その給与を経費にできる「**青色事業専従者給与**」や、赤字になったとき赤字金額を翌年以降3年間の黒字と相殺できる「**純損失の繰越控除**」など、有利なポイントが目白押しです（詳しくは ➡パート2・42〜57ページ）。

　いずれも白色申告では使うことができないか、適用内容が小さくなります。青色申告の節税メリットは、こまかく数えると50以上あるといいます。

節税はコスト削減につながる

　実際の例を見てみると ➡右ページ 、同じ売上であっても、青色申告と白色申告では、納める所得税額が13万円以上も違っています。それだけ、青色申告のほうが手元に残る金額が多くなるわけです。

　所得金額をもとにして、住民税や国民健康保険料が算出されるので、節税効果はさらにアップします。所得を抑えることで、当てはまる税率が変わることもあるでしょう。白色申告との差はどんどん広がります。

　経営者の視点で考えれば、売上を伸ばすと同時に、経費のムダを省き、出ていくお金を少なくする「コスト意識」を欠かすことはできません。目の前にある、国が認めている確実なコスト削減方法を、見逃すことなどできないはずです。

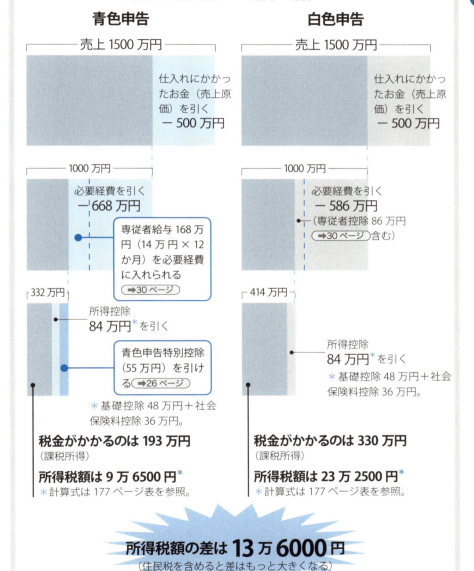

青 色 申 告 あ れ こ れ コ ラ ム

インボイス制度について
確認しておこう

　令和5年10月に、インボイス制度（適格請求書等保存方式）が始まりました。消費税を納める事業者（課税事業者）が、取引でインボイス（適格請求書）* により税率の区分や消費税額などをやりとりするしくみです。

　インボイスには、税務署への登録により通知される登録番号と、取引の適用税率および税率ごとの消費税額の記載が必要です。インボイスの発行や保存が、消費税の計算で仕入税額控除（→134ページ）を受けるための条件です。

　インボイスを発行できるのは課税事業者だけです。インボイスを発行できない免税事業者との取引で、課税事業者は仕入税額控除を受けられません（経過措置あり →78ページ）。そのため、免税事業者は、課税事業者とこれまで通りの取引を続けることが、難しい場合があります。

インボイスに必要な記載項目を確認

令和5年9月までの区分記載請求書
- ☐ **受け取る人の氏名（名称）**
- ☐ **発行者の氏名（名称）**
- ☐ **取引年月日、取引内容、取引金額**
  - ・軽減税率の品目がわかる表記（品目に記号をつけるなど）も必要。
- ☐ **税率ごとの合計金額**

＋

インボイスでは以下の項目を追加
- ☐ **インボイス発行事業者の登録番号**
  - ・T＋13ケタの数字（会社はT＋法人番号）。
- ☐ **適用税率（10％か8％か）**
- ☐ **税率ごとの消費税額**

＊請求書とは限らず、納品書、領収書、レシートなど、文書の名称によらずインボイスにできる。

PART 1
青色申告にすれば
こんなにトクする
7大ポイント

青色申告のメリット一覧

青色申告には
メリットがたくさんある

ここが ツボ さまざまな節税効果のある青色申告。
帳簿を正しくつけることで、経営状況をしっかりつかむこともできる

Q＆Aのページでもふれましたが、青色申告をすると、さまざまなメリットが得られます。この章では、その青色申告のメリットのうち、代表的なものを7つ解説します。

メリットのなかには、「青色申告特別控除」のように、所得金額から直接控除できるものから、青色申告を採用することで対外的な信用が高まったり、帳簿をつけることで経営の状態を正確に把握できるなど、間接的なものもあります。

これらのメリットのなかには、**事前の届け出や、活用には一定の知識が必要になる場合もあります。**せっかく青色申告を考えるなら、こうしたメリットをよく理解して、上手に活用してください。

代表的な7つのメリット

| 青色申告だけの特別サービスがある | **1** | **最大65万円を所得金額から差し引ける（青色申告特別控除）** → 26ページで詳しく |
| 赤字を取り戻すことができる | **2** | **赤字が出たら、翌年以降の黒字と相殺して税金を減らせる（純損失の繰越控除）** → 28ページで詳しく |

PART 1 こんなにトクする7大ポイント

認められる
必要経費の
範囲が
ぐんと広がる

3 事業に従事する家族への給与（青色事業専従者給与）を、全額必要経費にできる

→ 30 ページで詳しく

4 回収していない売掛金の一部を必要経費にできる（貸倒引当金）

→ 32 ページで詳しく

5 30 万円未満の備品などの購入を一度に必要経費にできる

→ 34 ページで詳しく

よりよい
事業活動に
役立つ

6 詳細な帳簿をきちんとつけることで税務署や金融機関などの信用度が上がる

→ 36 ページで詳しく

7 帳簿を正しくつけるため、経営の状態を数字でチェックできる

→ 38 ページで詳しく

25

おトクポイント①

10万円または55万円(65万円)を所得から差し引ける

ここがツボ 青色申告特別控除は原則55万円。条件次第で65万円になる。
確定申告の期日に遅れると適用されなくなるので注意!

青色申告最大のおトクなポイント

「**青色申告特別控除**」は、青色申告をしているだけで、**所得金額から無条件で10万円または55万円（65万円）を引ける**というものです。

たとえば、年間700万円の所得がある場合、白色申告では700万円を基礎として所得税を計算しますが、55万円の青色申告特別控除を受けられる人なら、700万円−55万円＝645万円により、税金の計算が行われます。それだけ税金が安くなる、つまり残るお金が増えることになります。

帳簿のレベルにより控除額は変わる

青色申告特別控除の金額の違いは帳簿のつけ方によります。家計簿程度の簡単な帳簿（「簡易簿記」「現金式簡易簿記」 ➡52ページ）なら10万円の控除額。取引やお金の動きを「勘定科目」や「仕訳」により詳細に記帳する「複式簿記」 ➡56ページ なら、55万円の控除額が認められます。もっとも会計ソフトを利用すれば、複式簿記も恐れる必要はありません。

さらに、**e-Tax（電子申告）** ➡188ページ **または優良な電子帳簿の保存** ➡66ページ **を実践していれば（要申請）、控除額は65万円となります。**

青色申告特別控除を受けるためには、**確定申告書の提出期限は厳守**です。遅れた場合、複式簿記でも控除額は10万円に減額されます。

なお、不動産所得の場合、「事業的規模」（独立した部屋が10室以上、一戸建てなら5棟以上など）でなければ、10万円の控除しか選べません。

税金キーワード **青色申告会** 税務署の区域ごとに青色申告者が集まって、青色申告の普及活動を行う団体。会員になれば（会費が必要）、青色申告の相談やアドバイスなどを受けることができる。

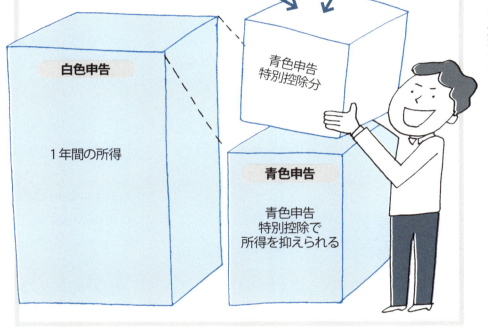

✓ これも知っておこう
控除額 55 万円引き下げの影響を確認

　令和 2 年分から、65 万円の青色申告特別控除が 55 万円に引き下げられました。しかし、同時に基礎控除が 38 万円から 48 万円に引き上げられたため、控除額全体ではプラスマイナスはありません。＊

　また、e-Tax または電子帳簿保存により、これまでと同じ 65 万円の控除を受けることができます。

＊ただし、基礎控除額は所得 2400 万円超から引き下げられ、2500 万円超でゼロとなるため、高所得者は不利となる。

おトクポイント②

赤字になったら翌年以降の税金を軽くできる

ここがツボ 確定申告書と一緒に「損失申告書」（➡190ページ）を提出することで、純損失の繰越控除の適用を受けられる

儲けが安定するまでの強い味方

　開業して、すぐ事業を軌道に乗せることは難しいものです。数年は赤字を覚悟している人もいるでしょう。このような場合、青色申告には、**赤字を翌年以降最長３年間の所得から差し引ける「純損失の繰越控除」**というありがたい制度があります。

　もし、今年赤字で、赤字金額が翌年の黒字より大きければ、翌年には所得税がかかりません。残った赤字金額は、さらに次の年へ「繰り越し」できるのです（➡右ページ）。

　ちなみに白色申告の場合は、いくら多くの赤字が出ても、その年の所得税がゼロになるだけ。次の年へ繰り越しはできず、節税になりません。

独立直後の赤字は、給与所得から差し引こう

　事業所得以外の所得がある人は、事業所得の赤字を他の所得の黒字と「**損益通算**」して、全体の所得を抑えられます。たとえば、会社から年の途中で独立して開業した年は、事業所得の他、給与所得があります。事業所得が赤字なら、給与所得からその赤字分を差し引けるのです。赤字が残るなら、翌年に繰り越します。なお、白色申告でも損益通算は行うことができます。

　そのほか、赤字が出た年の前年が黒字で青色申告をしている場合、その赤字を前年分の黒字と合わせて計算し、すでに納めた所得税の全部または一部の還付を受ける方法もあります（**純損失の繰戻**）。

税金キーワード　**アルバイト**　いわゆる短時間労働者。一定の要件を満たせば、社会保険や雇用保険に加入する。労災保険の加入は必要。

純損失の繰越控除で、今年の赤字を生かす

1年目に100万円の赤字、2年目に150万円の黒字が出た場合

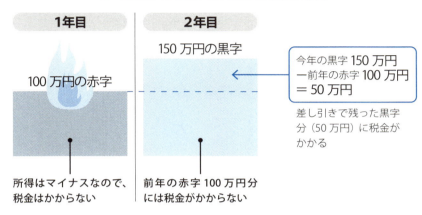

1年目に300万円の大赤字、2年目以降、少しずつ黒字化した場合

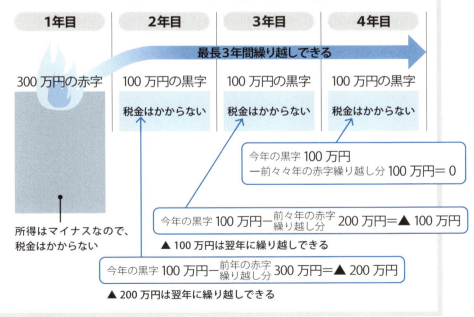

▲はマイナスを表す。

おトクポイント③

家族への給与を 必要経費にできる

ここが ツボ ただし、「適正」な給与金額であることが必要になる

家族に支払った給与を、丸ごと経費にできる

　個人事業主は、家族と一緒にお店や事業を切り盛りする人も多くいるでしょう。原則として、生計を一にする家族や親族への給与などの支払いは、必要経費にできません。「**生計を一にする**」とは、個人事業主とその家族が1つの財布で生活しているということです。

　しかし、青色申告では、**青色事業専従者になれば、家族に支払った給与を、全額経費として計上できます。**

　家族（青色事業専従者）がもらう給与は、他の従業員への給与と区別して「**青色事業専従者給与**」といい、事前に税務署に対して届け出る必要があります（「青色事業専従者給与に関する届出書」（➡48ページ））。届け出をしていなければ、家族への給与は必要経費にできません。

　なお、白色申告の場合は「**専従者控除**」として、一定額（**配偶者で86万円、その他の親族は50万円**）の控除となります。

多すぎる家族への給与は税務署から指導も

　青色事業専従者となれるのは、右ページの条件を満たす人です。

　家族へ支払う給料や賞与の金額は、届け出をするときに「支払い予定額」として記入します。しかし、他の同じ仕事内容の給与や、他の従業員の給与とあまりにもかけ離れている場合には、税務署から指導が入り、認められないこともあります。

税金キーワード　**一時所得**　総合課税の8種類の所得の1つ。懸賞の賞金、馬券の払戻金、生命保険や損害保険契約の一時金など。ちなみに、宝くじの当選金は非課税。

✓ これも知っておこう
配偶者控除とのソントクを試算しておこう

　配偶者が専従者（青色申告、白色申告とも）として働くと、給与の額にかかわらず「配偶者控除、配偶者特別控除」は受けられなくなります。38万円*の控除を受けられる場合は、月3万円程度の給与なら、専従者にしないで配偶者控除を受けたほうが有利な場合もあります。また、配偶者以外の家族、たとえば子供を専従者にする場合、扶養控除の対象から外れる点にも注意。

＊本人や配偶者の収入により控除額は変わる（→185ページ）。

おトクポイント④

「貸倒引当金」で
代金の取りはぐれに備えられる

ここがツボ 回収していないお金の一部を、あらかじめ必要経費にできる

「リスク」を必要経費にできる

お店などで商品を販売すれば、現金と引き替えに商品をお客さんに渡します。しかし、事業上の取引では「先に物を渡し、代金回収は後日」という商習慣があります。これを「**掛け売り**」と呼び、相手が支払うことを信用することで成立する取引です。ちなみに、「先に商品を受け取り、後日支払う」ことを「**掛け買い**」と呼び、これも商習慣として普通に行われています。

掛け売りでは、物を売ってからお金が入るまでに、タイムラグが生じます（売掛金）。つまり、相手の都合（倒産や取引先の資金繰りの悪化など）によっては、回収できないリスクを抱え込んでいることになります。このリスクを軽減するのが「**貸倒引当金**」です。

白色は焦げつきが確実な場合のみ

貸倒引当金とは、売掛金の回収が翌年になる場合に、今年の帳簿上で貸し倒れを見込んで、一定額を必要経費にできるものです。青色申告では、貸倒引当金として、**売掛金残高の5.5%を必要経費にできます。**この金額が貸し倒れに対する備えとなります。翌年に無事回収できた場合は、翌年の所得となり、プラスマイナスゼロとなります。

白色申告でも貸倒引当金を使えますが、**取引先に支払能力がないことが明らかなど、ほぼ貸し倒れになることが間違いない、という場合に限られます**（➡128ページ）。

税金キーワード **延納** 所得税の納付を2分割できる制度。まず3月15日までに2分の1以上を納付することが条件。残りを5月31日までの納付にできる。ただし一定の利息が上乗せされる。

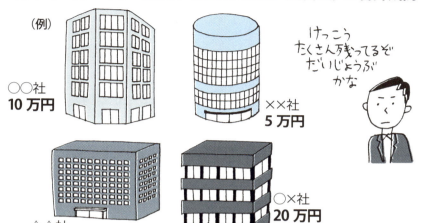

プラスアルファの知識
不良債権処理と貸倒引当金

　時折、新聞などをにぎわせる「不良債権」とは、企業間で貸してあるお金（債権）が返ってこないこと。不良債権処理で一般に使われてきたのが、貸倒引当金を積み立てておき、債権は少しずつ回収していく方法でした。ところが、時代がシビアになるにつれ、回収不能と判断すれば、相手を倒産させても、自社に損失が出ても、強制的に可能な限りの回収を行う処理も、多く行われるようになりました。

おトクポイント⑤

30万円未満の備品(固定資産)を一度に経費にできる

ここがツボ 儲けの多い年、少ない年により、必要経費の額を調整することもできる

長く使う機材や備品は、分割して必要経費にする

　仕事で使うコピー用紙やボールペンなどを購入すると、「消耗品」などとして必要経費にできます。しかし、単価が10万円以上するもの、たとえばパソコンや接客用のテーブルなどは、その価値を長期間(1年以上)利用できる「固定資産」とされ、「減価償却」という方法で、**数年に分割して必要経費にしていく**ことになります。

　減価償却の期間は、購入した固定資産の種類によって「耐用年数」(使用可能期間)として決められています(主要なものは、巻末資料「主な固定資産の耐用年数／償却率表」参照)。

青色申告なら、一定の固定資産を一括で経費にできる

　10万円以上の固定資産を購入するとき、支払いは一度にすませますが、その金額は、その年だけではすべて必要経費にはできません。しかし、青色申告なら、**30万円未満の固定資産について、年間300万円まで一度に必要経費にする優遇措置を受けられます**(貸付け用資産を除く。令和8年3月31日まで)。

　その年の儲けにより、通常の減価償却と優遇措置を使い分けることもできます。たとえば、多くの利益が出そうな年に、購入した固定資産を一括で経費にすれば、大きく所得を減らすことができます。逆に赤字になりそうなら、固定資産に計上して将来の経費としてストックできます。

税金キーワード **会計期間** 決算を行うための期間。個人事業の場合は1月1日〜12月31日と決まっている。法人は自由に決められる。事業年度ともいう。

大きな出費も一度に経費化できる

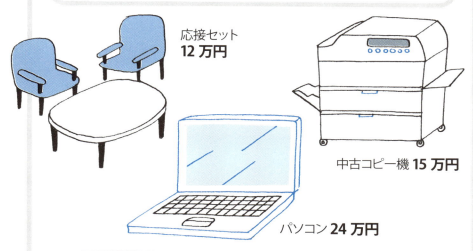

応接セット **12万円**
中古コピー機 **15万円**
パソコン **24万円**

原則として

10万円以上の機材や備品は、一度に必要経費にできない。
一定のルールに基づき、毎年分割して経費にする　＝**減価償却**

（例）上の備品は次のように減価償却される（定額法）

	1年目	2年目	3年目	4年目
応接セット	4万円	4万円	4万円	ー
パソコン	6万円	6万円	6万円	6万円
中古コピー機	5万円	5万円	5万円	ー

1年目に経費にできるのは **15万円**

注・パソコンの減価償却は耐用年数による。応接セットと中古コピー機は、3年で均等償却する特例利用の場合（98ページ参照）。

青色申告なら、**30**万円未満の備品は一度に必要経費にできる
（合計額 300万円以内）

上の備品（合計51万円）なら、
すべてその年の経費にできる

おトクポイント⑥

帳簿をきちんとつけるため
信用度が上がる

ここがツボ 「青色申告をしている＝対外的なあなたの信用」につながる

帳簿をつけていれば、税務署から信頼される

　「青色申告がいくら節税できるといっても、帳簿をつけるのは面倒」、そう考えて、白色申告ですませている人もいるでしょう。白色申告の人にも帳簿つけの義務はありますが、白色申告の帳簿は簡便なものですみます。一方、青色申告では届け出により必要な帳簿が決められており、より詳細な記帳が求められます。

　申告内容におかしな点がある場合、白色申告では税務署の判断で「推計課税」が行われることがあります。同業の事業者などと比較して、適切と思われる税額を課すのです。青色申告をしていれば、**帳簿を調査してからでなければ、税額を修正されることはありません。**申告内容自体も、白色申告より青色申告のほうが疑われることは少ないでしょう。

銀行から融資が受けやすくなる

　事業をさらに発展させようと、新たに店舗を出店したり、事務所を大きくして人を雇おうと考えることもあるでしょう。そうなれば、銀行などの金融機関に掛け合って、融資を頼む場合もあります。このとき、返済能力をはかるため、財務内容などをチェックされることになります。その際、一般に求められるのが「**試算表**」です。その月までの決算書といえるもので、会計ソフトで帳簿をつけていれば、簡単に作成できます。**こうした書類を出せるか出せないかで、融資を受けられるかどうかも左右されるのです。**

税金キーワード **外国税額控除** 外国で課税される所得がある場合に、一定の所得税を減額する制度。二重課税を防ぐために行われる。

正しい帳簿の有無で、相手の対応は変わる

税務署
帳簿の裏づけがあるため、白色申告よりも申告書の信頼が高い。また、帳簿の調査なく税額を修正（更正処分）されることはない。

銀行など
融資を受ける際、きちんとした財務書類（試算表など）を提出できるので、信用されやすい。

✓ これも知っておこう
家事関連費が認められやすい

　個人事業主には、自宅の一部を店舗にしたり、仕事場として利用している人も多いでしょう。すると、電話代や水道光熱費、家賃や駐車場代などは、仕事とプライベートで共用することになります。このような場合、これらの費用の一部を、家事関連費として必要経費にできます。

　一部とはどれくらいかといえば、仕事で使用する割合（按分率）で決めます。たとえば、賃貸マンションの半分を仕事場にしているなら、家賃の半分が経費です。水道光熱費や電話代も、自分で按分率を決めることができます。按分率に明細書や取引の記録などの根拠があれば、税務署も問題にしません。

　白色申告でも、家事関連費を按分して経費にできますが、その大部分を仕事用が占めていることが原則とされています。

おトクポイント⑦

帳簿つけで、事業の状態を正確につかめる

ここがツボ 帳簿をつけると、お金に対するシビアな感覚がみがかれ、翌年の目標や戦略づくりにも生かすことができる

どんぶり勘定では、本当に儲かっているのかわからない

特に帳簿などなくても「今月の売上はこれくらい」ということならわかるかもしれません。しかし、もらった給与が全部使える会社員とは違い、個人事業主の売上には、後日の仕入れの支払い（買掛金）などが含まれており、社会保険料や税金なども支払わなければなりません。それらを差し引くと、「残った儲けは、たったこれだけ……」と愕然とすることも。

帳簿をつけていると、入金、出金、売掛金、買掛金など、事業のお金の全体を把握することができます。帳簿は事業のすべての動きを「お金」という視点で整理する記録簿です。**日々帳簿の動きから、実際のお金の動きを確認しながら、次の事業の行動をとることができるのです。**

帳簿でコスト感覚を鍛えよう

帳簿は税務署に税金を納めるためだけにつけている、という人もいるでしょう。問題にするのは、いかに税金を少なくするかだけです。

しかし、これからずっと利益を出して事業を続けていくなら、確定申告で提出する損益計算書や貸借対照表などの**「青色申告決算書」から、事業のさまざまな問題点や改善点を探ることも大切です。**

利益と必要経費のバランス、儲けの内訳……、決算書には、事業のさまざまな情報が凝縮しています。税金を納めたら終わりでなく、翌年の事業の目標や反省、戦略を検討するために役立てられるのです。

税金キーワード **可処分所得** 所得から、税金や社会保険料、ローンの支払いなどをのぞいた自由に使えるお金。貯蓄額を決めたり、住宅ローンの資金計画を立てるときなどに有効。

事業を客観的な目でチェックできる

青色申告決算書

青色申告で、確定申告書とともに作成が義務づけられている書類（➡168ページ）。
青色申告決算書に基づいて確定申告書をつくり、税金を納める

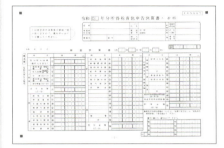

損益計算書
今年1年間の事業活動による儲けを示す（➡106ページ）

貸借対照表
事業全体の財政状態を示す（➡106ページ）

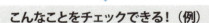

こんなことをチェックできる！（例）

実際の儲け（手取り）はいくらだったか？
可処分所得＝所得－（所得税や住民税など納めた税金＋社会保険料）

借金や未回収のお金は多すぎないか？
自己資本比率＝元入金÷（負債＋元入金）

コストはかかりすぎていないか？
営業利益率＝所得÷売上

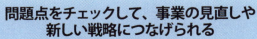

問題点をチェックして、事業の見直しや新しい戦略につなげられる
（それぞれ詳しくは➡196ページ）

注・上の書式は令和五年分以降用。変更される場合がある。

PART1 こんなにトクする7大ポイント

青 色 申 告 あ れ こ れ コ ラ ム

「小規模企業共済」は
節税にも役立つ

　個人事業主の将来の備えとなり、節税にもなるのが「小規模企業共済」です。個人事業主や配偶者など共同経営者、小規模企業の経営者や役員が、毎月一定の掛金（1000円から7万円まで。500円刻みで選べる）を積み立てることで、将来、事業をやめたときなどに、一定の共済金を受け取れる制度です。受け取り方は、一括と分割などから選ぶことができます。

　また、資金繰りに困ったときは、それまでの掛金に応じて、貸し付けも受けられます。

●年間最高84万円を控除できる

　大きなメリットは、掛金は「小規模企業共済等掛金控除」として、全額が所得控除できることです。年間最高84万円を所得から差し引くことができるのです。

　運営は、独立行政法人・中小企業基盤整備機構が行っています。最寄りの金融機関や商工会議所などで申し込める場合もあります。

生命保険などよりずっと有利

生命保険	小規模企業共済
生命保険料控除を受けられる	小規模企業共済等掛金控除を受けられる

控除額は4万円が上限
（通常の生命保険の場合。介護医療保険、個人年金は、別に最高4万円の控除を受けられる・最大12万円）＊

掛金全額を控除できる
（掛金は月7万円が上限。年間最高84万円を控除できる）

＊平成24年契約分より。平成23年12月までの契約では、生命保険、個人年金の控除のみが対象で、最高5万円となる。

PART 2

申請すれば今日からあなたも「青色申告事業者」

スタートの手続きと
3つのコース

届け出書類一覧

税務署へ届け出れば「青色申告事業者」になれる

ここがツボ 開業時にまとめて提出すれば、手間が少なくてすむ

青色申告にはまず届け出が必要

　メリットがたくさんあるから今日から青色申告にしよう！　と思っても、勝手に青色申告にはできません。まずは**税務署に届け出が必要になります**。

　まず、個人事業を始めるときには、通常「**個人事業の開業・廃業等届出書**」（➡46ページ）を提出します。青色申告を始める場合は「**所得税の青色申告承認申請書**」（➡44ページ）が必要です。開業時に、この2つの書類を合わせて提出することが多いようです。

　また、家族を青色事業専従者にして給与を支払う場合は、「**青色事業専従者給与に関する届出書**」（➡48ページ）の提出が必要です。はじめて従業員に給与を払うなら「**給与支払事務所等の開設届出書**」なども必要です。

減価償却や棚卸の方法で、届け出が必要な場合も

　後のページで解説しますが、パソコンや車などの、長期的に使う固定資産の減価償却や、棚卸資産（年末に計算する手持ちの在庫などの金額 ➡162ページ）では、計算方法を自分で選べます。

　このとき、減価償却で定率法（➡98ページ）を選ぶ場合、棚卸資産の計算で低価法（➡164ページ）を選ぶ場合には「**所得税の棚卸資産の評価方法、減価償却資産の償却方法の届出書**」という書類にその旨を記入して、税務署に提出する必要があります。それぞれの書類の提出期限を確認して、すみやかに提出しましょう。いずれもe-Tax（e-Taxソフトが必要）による提出もできます。

税金キーワード　**課税売上**　消費税の課税対象となる売上。商品の売上の他、固定資産の売却なども含まれる。消費税が課税される仕入れを「課税仕入」という。

青色申告にかかわる主な届け出

事業スタート

「**所得税の青色申告承認申請書**」（➡44ページ）
青色申告を始めるときに提出する

いつまで 開業してから2か月以内
ただし、
①1月1日～15日までの開業
②白色から青色に変更
→3月15日までの提出でよい*

「**個人事業の開業・廃業等届出書**」
（➡46ページ）
事業を始めるときに提出する

いつまで 開業してから1か月以内
●これまで白色だった人が、青色に変更するときに提出しても受け付けてもらえる

「**青色事業専従者給与に関する届出書**」
（➡48ページ）
家族が事業に専従して働く場合に提出する

いつまで 開業してから2か月以内
ただし、
①1月1日～15日までの開業
→3月15日までの提出でよい*
②すでに事業を始めており、はじめて専従者を置く
→専従者を置いた日から2か月以内

＊土日の関係で1～2日後にずれる場合あり。

人を雇うなら、こんな届け出も必要になる

「**給与支払事務所等の開設届出書**」
はじめて人を雇って給与を払うとき（青色事業専従者含む）
（➡50ページ）

「**源泉所得税の納期の特例の承認に関する申請書**」
毎月納めるべき給与から源泉徴収した所得税の納付を、年2回にする場合 ➡50ページ

青色申告

注・65万円控除にはe-Taxか優良な電子帳簿保存が条件（➡67ページ）。

所得税の青色申告承認申請書

新規開業の場合は 開業後2か月以内に出す

ここがツボ 提出の期限に遅れると、青色申告スタートは翌年からとなる

まず提出期限を確認する

「今年から青色申告します！」と税務署に伝える「**所得税の青色申告承認申請書」で重要なのは提出期限です**。1日でも遅れると1年待たなければならなくなります。提出期限は、新規に事業を始めた場合「**開業日から2か月以内**」、開業日が1月1日〜15日か、白色申告から切り替える人は「**青色申告をしたい年の3月15日まで**＊」です。「令和7年分の確定申告は白色から青色申告へ」と考える人は、令和7年3月17日が締め切りです。

申請書は、自宅の住所を管轄する税務署または e-Tax で提出します。自宅と事業所で管轄の税務署が異なり、事業所を管轄する税務署を選ぶ場合は、「**所得税・消費税の納税地の変更に関する届出書**」を、自宅と事業所を管轄する税務署双方に提出します。申請内容に問題がなければ、税務署から連絡はありません。

提出は郵送でもOK

申請書には、右ページの内容を記入します。青色申告時に必要な帳簿類の選択は、青色申告のタイプや事業内容によっても変わるので、自分に必要な帳簿を把握しておきましょう（➡52ページ）。

紙の申請書は最寄りの税務署や青色申告会で入手するほか、国税庁のホームページからもダウンロードできます。提出は郵送もできます。申請後は控えを保管しておきましょう。

税金キーワード **仮払金** 従業員の出張などで、総費用がはっきりしない場合にまとまった金額を渡すこと。帳簿で「仮払金」を立てる。後日必要経費として精算する。

＊土日の関係で1〜2日後にずれる場合あり。

所得税の青色申告承認申請書の書き方ポイント

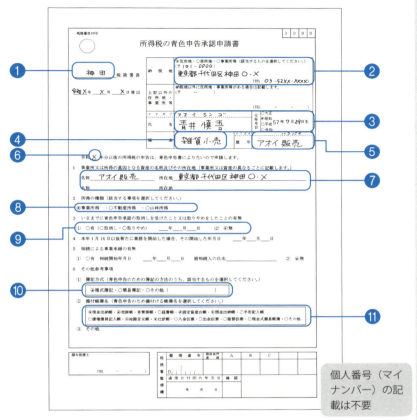

❶ 管轄の税務署名を記入
❷ 自宅(または事業所)の住所、電話番号を記入
❸ 氏名、生年月日を記入
❹ 事業の内容を記入
❺ 屋号(店の名前など)があれば記入
❻ 青色申告を始める年を記入
❼ 屋号(なければ氏名)と住所を記入
❽ 所得の種類を記入(➡14ページ)
❾ これまで青色申告の取り消しなどを受けていなければ(2)をチェック
❿ 55万円(65万円)控除を受ける場合は「複式簿記」をチェック(➡56ページ)
⓫ 備えつける帳簿をチェック。
　 受ける控除の内容により、必要な帳簿は異なる(➡83ページ)
※ e-Tax は、上記の内容を画面の指示にしたがい入力する。

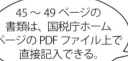

45〜49ページの書類は、国税庁ホームページのPDFファイル上で直接記入できる。

個人事業の開業・廃業等届出書

事業を始めたときは
開業を届け出る

ここがツボ 税務署に対して、事業のスタートを届け出る

開業したらまっさきに提出する

　独立・開業したときには、税務署に「個人事業主として確定申告して税金を納めます」という意志を**「個人事業の開業・廃業等届出書」**により届け出ます。

　この届出書は、**開業したら1か月以内**に紙またはe-Taxにより提出します。提出していなくても罰則はありませんが、継続して事業を営むなら提出しておきましょう。白色から青色に切り替えをする人でこの書類が未提出なら、青色申告承認申請書と一緒に提出すれば受理されます。

住民税のために市区町村へも届け出る

　個人事業主は、都道府県や市区町村にも税金を納めます（住民税などの地方税）。そのため、独立・開業したら、地方税の届け出として**「個人事業開始申告書」**を、地方税事務所などに提出します。申告書は最寄りの地方税事務所などで入手できます。申告書の名称や提出期限、手続き方法は、自治体によって異なります（地方税事務所などに確認を）。ただし、提出していなくても、特に問題にならない場合も多いようです。

 これも知っておこう
会社をやめるときは、源泉徴収票を必ず受け取る

　会社をやめて独立・開業すれば、次の確定申告は自分で行うことになります。退職金がある人は「退職所得の源泉徴収票」、それまでの給料やボーナスには「給与所得の源泉徴収票」を忘れずに受け取りましょう。これらの書類は、次の確定申告書作成の際に不可欠です。

個人事業の開業・廃業等届出書の書き方ポイント

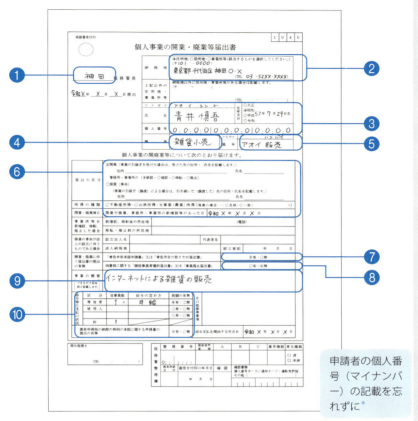

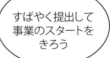

申請者の個人番号（マイナンバー）の記載を忘れずに＊

❶ 管轄の税務署名を記入
❷ 自宅（または事業所）の住所、電話番号を記入
❸ 氏名、生年月日、個人番号を記入
❹ 事業の内容を記入
❺ 屋号（店の名前など）があれば記入
❻ 「開業」「新設」と「事業（農業）所得」をチェックして、事業を始めた年月日を記入
❼ 青色申告承認申請書を一緒に提出する場合は「有」をチェック
❽ 消費税に関する届出書の有無（➡132ページ）
❾ 事業の内容を記入
❿ 青色事業専従者など給与を払う場合は、人数、支払い方法、源泉徴収の有無と方法などを記入（➡50ページ）
※ e-Tax は、上記の内容を画面の指示にしたがい入力する。

すばやく提出して事業のスタートをきろう

＊本人確認書類の提示またはコピーの添付が必要。

青色事業専従者給与に関する届出書

家族が一緒に働く（専従者）なら 届け出が必要

ここがツボ 給与は低すぎると節税効果がうすい。賞与もきちんと出そう

家族の働き分を丸ごと必要経費にできる

個人事業では、家族と一緒に仕事を切り盛りしている人も多いでしょう。しかし、原則として家族間でやりとりされるお金は、1つの財布のなかをお金が移動しただけとみなされ、給与にはなりません（必要経費にできない）。

そんな家族の労に報いようと、家族の給与を丸ごと経費として認める青色申告の特例が「**青色事業専従者給与**」です（➡30ページ）。

ただし、事前に申請が必要です。**その家族が働き始めた日から2か月以内、または特典を受けようとする年の3月15日まで*** に、「**青色事業専従者給与に関する届出書**」を紙またはe-Taxにより提出します。

給与の設定は8万8000円がポイント

届出書記入で迷うのは支払う給与額でしょう。基本的には、他に従業員がいればその水準、また、その仕事内容で一般的に支払われる給与水準を調べて参考にしてもよいでしょう。必要経費を増やそうと、相場からかけ離れた多額の給与を支払うのは考えものです。

その他、家族といえども給与を支払うのですから、所得税（＋復興特別所得税）を天引きする源泉徴収の事務が発生します。ただし、**給与月額8万8000円未満**なら、所得税がかからないため源泉徴収は不要です。こうした点も検討のポイントになります。なお、届け出た給与内容は変更できますが、届け出た基準より増える場合などには、変更の届け出が必要です。

税金キーワード **関税** 商品などを海外から輸入する際にかかる税金。税率は、輸入するものによって異なる他、輸入する相手国によっても異なる。

*土日の関係で1～2日後にずれる場合あり。

青色事業専従者給与に関する届出書の書き方ポイント

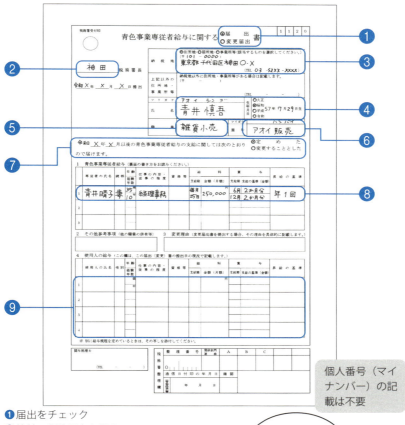

1. 届出をチェック
2. 管轄の税務署名を記入
3. 自宅（または事業所）の住所、電話番号を記入
4. 氏名、生年月日を記入
5. 事業の内容を記入
6. 屋号（店の名前など）があれば記入
7. 適用を受ける年月を記入、「定めた」をチェック
8. 専従者について記入
   - 氏名、続柄、年齢、その仕事の経験年数
   - 仕事内容
   - 給与の支給時期や金額、昇給の基準
9. ほかに従業員がいれば記入
   - 従業員の待遇と専従者の待遇に、差が大きすぎないこと

※ e-Tax は、上記の内容を画面の指示にしたがい入力する。

個人番号（マイナンバー）の記載は不要

手元に控えをとっておき、保管しておこう

給与支払事務所等の開設届出書など

従業員を雇うなら源泉徴収の書類を提出する

ここがツボ 給与を支払う立場になったら、1か月以内に届け出る

人を雇う側になったら「源泉徴収」が必要になる

会社員は、給与から所得税（＋復興特別所得税）が天引き（源泉徴収）されています。会社が従業員に代わって税金を納めているのです。会社でなくても、人を雇う場合には、毎月支払う給与から所得税分を天引きして、後日税務署に納めなければなりません。

はじめて従業員（青色事業専従者含む）を雇い、源泉徴収を行うためには、事前に税務署に「**給与支払事務所等の開設届出書**」を提出します。

提出期限は、従業員を**雇うことになってから1か月以内**。その後、従業員が増えたり減ったりした場合、特に届け出は必要ありません。

特例を活用して、毎月1回を年2回にできる

源泉徴収した所得税（＋復興特別所得税）は、給与を支払って天引きした月の翌月10日までに、銀行や郵便局などから納めます。月1回とはいえ、一人何役もこなす個人事業主は、この事務処理が負担でしょう。

従業員が9人までなら、天引きした所得税をまとめておき、年に2回納めるようにすることができます。1月〜6月までの分は7月10日まで、7月〜12月までの分を翌年の1月20日までに納めます。

この制度を利用するには「**源泉所得税の納期の特例の承認に関する申請書**」の提出が必要です。申請書の提出期限は特に定められていませんが、**提出した月の翌月以後に支払う給与分から適用されます。**

税金キーワード **還付金** 多く支払っていた税金が戻ること。源泉所得税の年末調整による還付や、医療費控除や住宅ローン控除など、確定申告による還付が代表的。

給与支払事務所等の開設届出書の記入の流れ

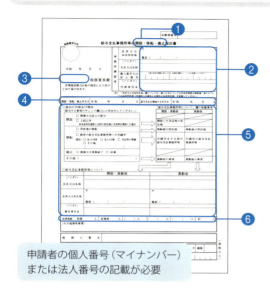

❶「開設」に○
❷ 事務所の所在地、電話番号、屋号（会社名）、個人番号（会社は法人番号）、代表者の氏名を記入する
❸ 管轄の税務署名を記入
❹ 開設日、給与の支払いを始めた日（または予定日）を記入
❺ 届け出の内容（開業又は法人の設立）にチェック。名称、事務所の所在地、電話番号、責任者の氏名を記入
❻ 役員や従業員などの内容と人数を記入
※ e-Tax は、上記の内容を画面の指示にしたがい入力する。

申請者の個人番号（マイナンバー）または法人番号の記載が必要

源泉所得税の納期の特例の承認に関する申請書の記入の流れ

❶ 事務所の所在地、電話番号、屋号（会社名）、法人番号（会社の場合）、代表者の氏名を記入する
❷ 届出年月日、管轄の税務署名を記入
❸ 申請書を提出する前6か月間に給与の支払いがあれば、各月末の従業員数、給与等の支給額を記入
● 2回目の納付期限を翌年1月20日にする
※ e-Tax は、上記の内容を画面の指示にしたがい入力する。

個人番号（マイナンバー）の記載は不要

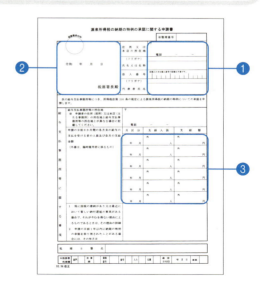

PART 2 スタートの手続きと3つのコース

51

青色申告の3コース

申請するときに
3つのコースから選べる

ここがツボ 青色申告のコースは、届け出のときに決めなければならない。
控除額が違ってくるので十分検討しよう

　帳簿つけは青色申告する必須条件です。帳簿をつけるからこそ、青色申告特別控除などのメリットを得られるのです。青色申告に必要とされる帳簿のつけ方には2種類、選べるコースは3種類あります。

手間いらずの「簡易簿記」、おトクな「複式簿記」

　1つは「簡易簿記」です。日々の取引（出金・入金、掛け売り、掛け買いなど）を、そのつど、それぞれの帳簿に記入していくだけです。

　さらに「現金式簡易簿記」を選べば、つけるのは現金の出入りを明らかにする現金出納帳だけですみます。ただし、事業所得が300万円以下の人に限られます。いずれも、青色申告特別控除額は10万円と低くなります。

　もう1つの帳簿のつけ方は「複式簿記」です。お金の流れを借方・貸方という2方向からとらえる「仕訳」という作業をしてから帳簿に記入します（⇒104ページ）。この仕訳により、決算時に財政状況がひと目でわかる「貸借対照表」という書類が作成できます。

　簡易簿記よりたいへんそうですが、会計ソフトの普及により、実際の帳簿つけの手間は、どちらもそう変わらなくなりました。

✓ **これも知っておこう**
「事業的規模」でない不動産所得は10万円控除

　不動産所得も青色申告ができますが、簿記の種類にかかわらず、事業的規模でない限り青色申告特別控除は一律10万円です。事業的規模は「5棟10室」が基準。一戸建てなら5棟以上、アパートなら10室以上、駐車場なら50契約以上などとされています。詳しくは税務署に確認してみましょう。

それぞれの申告方法のポイントを押さえておこう

PART2 スタートの手続きと3つのコース

		届け出	必要な帳簿	特別な控除の有無
	白色申告	不要	あり （事業所得の白色申告者すべてに記帳が必要）	なし
青色申告	簡易簿記 ➡54ページ	必要 （青色申告承認申請書）	現金出納帳、売掛帳、買掛帳、経費帳、固定資産台帳 （その他、業種などにより必要な帳簿をプラス）	青色申告特別控除 **10**万円
	現金式簡易簿記 （利用できるのは、事業所得*300万円以下の人のみ ➡54ページ）	必要 （青色申告承認申請書・現金主義の所得計算による旨の届出書）	現金出納帳	青色申告特別控除 **10**万円
	複式簿記 ➡56ページ	必要 （青色申告承認申請書）	主要簿 （仕訳帳・総勘定元帳） 補助簿 （現金出納帳、預金出納帳、売掛帳、買掛帳、固定資産台帳）など	青色申告特別控除 最大**65**万円 ➡26ページ

*前々年分のもの。不動産所得があれば合計する。

53

「簡易簿記」…10万円控除コース

こづかい帳感覚の帳簿で 10万円の控除が受けられる

ここがツボ 青色申告特別控除の額は小さいが、青色申告のメリットはすべて受けられる

帳簿の種類は少なく、書き方もシンプル

どうしても複式簿記に踏みきれない人は、簡易簿記からトライしてみましょう。簡易簿記では仕訳の必要がないため、帳簿は家計簿やこづかい帳と同じ感覚でつけることができます。ただし、事業では現金の入出金だけでなく、掛け売り・掛け買い（➡32ページ）や固定資産が生じるため、最低でも5種類の帳簿が必要になります。「現金出納帳」「売掛帳」「買掛帳」「経費帳」「固定資産台帳」です。その他、必要に応じて「預金出納帳」「手形記入帳」「債権債務記入帳」などを使います（それぞれの帳簿については➡パート4・80～101ページ）。

青色申告特別控除は10万円と少ないですが、**その他の青色申告のメリットは複式簿記と同じように受けられます。**帳簿は簡単にすませたい、でも青色申告のメリットを得たいという人に向いています。

「現金式簡易簿記」ならもっと簡単

現金式簡易簿記なら、帳簿は現金出納帳だけですみます。売上などで現金が入ってきたら記帳し、仕入れや経費などでお金が出ていったら、そのつど記帳すればよいのです。売掛金や買掛金も、入金、出金があるまでは記帳しません。ちなみに、現金が動いたときに記帳する方法を「現金主義」といいます（通常の簿記では、取引が生じたときに記帳する「発生主義」➡62ページ）。

ただし、**300万円以下の事業所得の人が対象**です。また、貸倒引当金（➡32ページ）などが必要経費にならず、青色申告のメリットは少なくなります。

税金キーワード **繰延資産** 支払いの効果が1年以上になる資産。開業費（開業のために使った費用）など。減価償却資産と同じく数年にわたって経費化する。償却期間は資産の内容により異なる。

簡易簿記の届け出ポイント

帳簿つけは
できる限り簡単に
したいという人

不動産所得が
事業的規模に
いたらない人
→52ページコラム

青色申告承認申請書には、こう記入する

→ 簡易簿記をチェック

→ 上記の帳簿をチェック
業種により多少異なる

決算・申告時には、これらの帳簿から、**損益計算書**（168ページ参照）をつくって提出する

✓ これも知っておこう
現金式簡易簿記は届出書類が異なる

現金式簡易簿記を選択するには、別の届出書が必要です（右図参照）。現金式簡易簿記を行う年の3月15日まで*（原則）に、税務署に提出します。

＊土日の関係で1〜2日後にずれる場合あり。

PART 2　スタートの手続きと3つのコース

「複式簿記」…55万円（65万円）控除コース

55万円(65万円)控除を得たいなら複式簿記を選ぶ

ここがツボ 会計ソフトを使えば、複式簿記の知識がなくてもだいじょうぶ

複式簿記ってたいへんなの？

　複式簿記の特徴は、お金の動きを2つの側面から見ることです。たとえば、友人から3000円を借りたとき、簡易簿記では「3000円借りた」と記載しますが、複式簿記では「借りたお金3000円（原因）」「増えたお金3000円（結果）」と記帳するのです。これを「仕訳」と呼びます。

　複式簿記では、すべての取引について、仕訳を行って帳簿に記入します。仕訳した取引を発生順にまとめた帳簿を「仕訳帳」といいます。また、仕訳帳を、取引の種類を表す勘定科目（➡86ページ）ごとに分類した帳簿を「総勘定元帳」といいます。この2つの帳簿を主要簿（➡83ページ）といい、55万円(65万円➡26ページ)）の青色申告特別控除を受けるための必須帳簿です。最終的に貸借対照表をつくるための基礎資料となります。

　また、主要簿を補完する「現金出納帳」「売掛帳」「買掛帳」「固定資産台帳」「預金出納帳」などが必要です（補助簿➡パート4・80〜101ページ）。

面倒な部分は会計ソフトにおまかせ

　こうした帳簿が並ぶと「やっぱり複式簿記は面倒！」と感じるかもしれません。しかし、**毎日すべての帳簿に記入が必要なわけではありません。**また、会計ソフトを活用すれば、主要簿は補助簿をつけることで自動集計が可能、仕訳も取引内容（勘定科目）を選ぶだけで、ソフトにまかせることもできます。機能をしっかり活用しましょう。

税金キーワード **決済** 掛け売り、掛け買いなどによる取引を行い、最終的にお金のやりとりをして債権、債務をなくすこと。

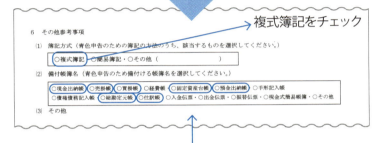

これも知っておこう
複式簿記なら、貸借対照表をつくることができる

　青色申告で55万円（65万円）の控除を受けるためには、左ページのような帳簿が必要ですが、これらの帳簿を税務署に提出するわけではありません。税務署には、これらの帳簿からつくられる貸借対照表（青色申告決算書と一体化）を提出します。損益計算書や確定申告書ではわからない、事業の健全性（預貯金の額や借金の額など）を見られるのです。

青色申告あれこれコラム

インボイス発行事業者になるには課税事業者になる必要がある

　インボイス（適格請求書）を発行するためには、税務署に登録申請書（適格請求書発行事業者の登録申請書）を提出して「インボイス発行事業者」になる必要があります。

　インボイス制度に登録するかどうかは事業者の任意ですが、免税事業者やこれから事業を始めるという人は、取引に影響するポイントとなるため、登録するかどうか検討が必要です。

　免税事業者がインボイス発行事業者になるには、課税事業者になる必要があり、原則として「消費税課税事業者選択届出書」の提出が必要です。

　しかし、令和11年9月30日の属する課税期間までは、登録申請書を提出することで、登録を受けた日または登録を希望する日から、課税事業者（およびインボイス発行事業者）になることができます。

適格請求書発行事業者の登録申請書（2枚セット）

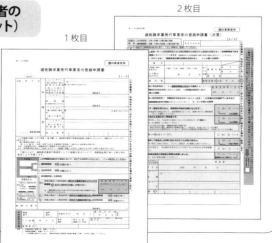

1枚目　2枚目

必要事項を記入して申請する。インボイス登録センターに郵送するほか、e-Taxを利用してオンライン申請もできる。登録番号に関する一定事項は「適格請求書発行事業者公表サイト」で公開され、誰でも確認できる。

58

PART 3

事業ではお金の管理も大きな仕事

青色申告に欠かせない
「帳簿つけ」の基本

青色申告の1年間
青色申告のスケジュールをチェックしよう

ここがツボ 全体の流れがわかると、帳簿つけにも張りが出る

　個人事業主の事業年度は、**1月1日〜12月31日まで**と決められています。1月1日を「**期首**」、12月31日を「**期末**」といいます。青色申告の資格を手に入れたら、この期間を1つの単位として、事業を行い、帳簿をつけて、請求書や領収書をとりまとめ、期末に集計して青色申告決算書を作成し、最後に確定申告を行います。

　帳簿は単なる金額の羅列ではなく、経営状態を客観的に表します。こまめに正確に入力しましょう。

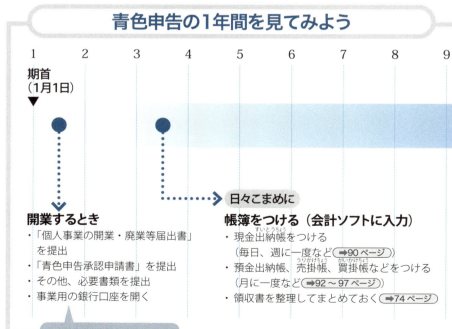

PART 3 青色申告に欠かせない「帳簿つけ」の基本

月に一度など

集計して帳簿をチェックする
・入力ミスや入力もれがないか確認する
・儲けの推移を確認する

> 会計ソフトを使っていれば、集計表（試算表）は簡単につくることができる

3月15日までに 土日の関係で1〜2日後にずれる場合あり。

青色申告決算書、確定申告書の作成・提出 （➡168〜181ページ）
・青色申告決算書の様式は、会計ソフトにあらかじめ入っていることもある
・確定申告書を作成する
・期限までに税務署に提出する
・納税する

> e-Tax を利用すれば、インターネット上から申告もできる
> （➡188ページ）

年末年始

> それぞれの計算や集計は会計ソフトでできる

決算を行う
・帳簿を締め切って1年間の帳簿を集計する
（➡158ページ）
・在庫を確認して、棚卸を行う（➡162ページ）
・減価償却費を固定資産台帳で確認する
（➡166ページ）
・試算表をつくって、ミスや記帳もれをチェック

9　10　11　12　（翌年）1　2　3　4（月）

期末（12月31日）

確定申告

帳簿の内容を翌年へ引き継ぐ
・前年の残高（現金、借入金、利益の一部など）を、翌年のそれぞれの帳簿に引き継ぐ
（➡194ページ）
・帳簿や領収書などは申告後も保存する
（5年または7年➡66ページ）

注・消費税の課税事業者は、3月31日までに消費税の申告・納付が必要になる。

帳簿とは

儲け続けるには
帳簿は欠かせない

ここがツボ 事業を長く続けるには、お金の正確な管理が必要

　帳簿は、税金を正しく申告し、事業の状態を正しく知るために欠かせないものです。「帳簿をつけている時間があるなら、仕事に使いたい」と考える人もいるかもしれません。

　しかし、これから事業を続けて、利益を出し続けるためには、目前の仕事をこなすだけでは不十分です。**事業活動を計画し、目標を立て、うまく進んでいるか、定期的にチェックすることが必要です。**もし、帳簿やそれを集計した決算書がなければ、客観的な判断は難しいでしょう。

「お金の出入り」のパターンはそう多くない

　帳簿つけの流れは、事業の流れに即したものです。商品を納品する、商品を受け取る、請求書を出す、請求書を受け取る、代金を支払う、備品を買って領収書をもらう……、どの取引をどの帳簿に入れるかは、意味もわからずお金をやりとりしているのでなければ、そう難しくないはずです。

　個人事業の場合、大半の取引のパターンは、右ページのいずれかに当てはまるでしょう。

 これも知っておこう
帳簿にいつの時点で記入するか

　帳簿記入の基本ルールに「発生主義」があります。実際の現金の動きではなく、支払いを受ける権利や支払いの義務が発生した段階で、収入や支出とする考え方です。

　商品を納めて翌月に代金を受け取る場合、商品を納めた時点と代金を受け取った時点の2回、帳簿に金額をつけることになります。発生主義の考え方は、決算のとき、どこまでを今年の収入とするかを決めるときにも必要になります。

　一方、現金が動いた時点のみを記帳する考え方を「現金主義」といいます。

「取引」をつけていき、お金の動きを明らかにする

現金が入った、
出ていった

口座に入金した
（振り込まれた）、
口座から引き出した
（引き落とされた）

帳簿につけていく

請求書を発行した
（売掛金が発生した）

請求書を受け取った
（買掛金が発生した）

個人事業主は
①経営状態を把握できる
②さまざまな税制上のメリットを
　得られる ➡24ページ

税務署は
①税金を正しく徴収できる
②疑問点をチェックしやすい

決算・確定申告
1年間の帳簿内容により、
儲けをとりまとめる

PART3

青色申告に欠かせない「帳簿つけ」の基本

63

会計ソフトの活用

会計ソフトを使えば
知識なしでも始められる

ここがツボ 複式簿記も会計ソフトで手軽に実行できる

　青色申告の会計ソフトは種類も豊富で、できることや金額もさまざまです。無料体験版をダウンロードできるメーカーも。インストール不要で、どのパソコンでもアクセスにより操作できるクラウド型も便利です。スマホから帳簿などを作成できるものもあります。初心者には、多機能のものより**青色申告に特化したものが使いやすいでしょう。**インボイス制度や電帳法への対応も確認します。

繰り返し作業や計算はソフトにおまかせ

　パソコンで帳簿つけをする際のメリットを、いくつかあげてみましょう。

　①よく使う入力内容はソフトに登録しておけば、クリックひとつの操作で、入力を完了できます。②古い領収書が見つかったという場合、入力して日付順に並べ替えを行えば、問題なく記帳できます。③もし入力間違いがあった場合も、その部分を打ちなおすだけで、合計などは自動的に訂正できます。④パソコンは計算が大得意ですから、**基本的に計算間違いは生じません。**

　また、たとえば、現金出納帳で入力した内容は、**リンクされたほかの帳簿（売掛帳など）に自動転記されます。集計作業も簡単です。**

> **プラスアルファの知識**
> ### 手書き帳簿でも、もちろんOK
> 　帳簿はもちろん手書きでもかまいません。基本的な帳簿は文房具店などで売られています。筆記用具は黒か青のボールペン、万年筆で。鉛筆は不可です。訂正する場合は赤で二本線を引き、上部に書き直して訂正印を押します。ただし、消費税の課税事業者になった場合などでは、手計算による帳簿作成は難しいでしょう。

個人事業主向けの会計ソフトの例

MJS かんたん！青色申告
（株式会社ミロク情報サービス）
https://miroku.mjs.co.jp/
・取引データをクラウド管理できる「かんたんクラウド会計」あり。

やよいの青色申告
（弥生株式会社）
https://www.yayoi-kk.co.jp/
・取引データをクラウド管理できる機能をつけられる。
・クラウド型に「やよいの青色申告オンライン」あり。

みんなの青色申告
（ソリマチ株式会社）
https://www.sorimachi.co.jp/
・取引データをクラウド保存できる（安心データバンク）

青色申告らくだ
（株式会社BSLシステム研究所）
https://www.bsl-jp.com/
・複式簿記に特化したタイプ。簡易簿記用のタイプもある

（クラウド型）

freee 会計
（freee）
https://www.freee.co.jp/
・専門知識がなくても操作しやすい。

（クラウド型）

クラウド確定申告
（マネーフォワード）
https://biz.moneyforward.com/
・会計以外のクラウドサービスと連携できる。

選ぶときのポイントはここ
①**使いやすいか**（無料体験版を試用して比べてみる）
②**値段は安いか**（個人事業主向けはいずれも比較的安価）
③**サポート体制はしっかりしているか**（消費税対応は要確認）

帳簿の保管

帳簿は7年間保管しなければならない

ここがツボ 申告後の書類の保存は、法律で義務づけられている

帳簿は申告内容の証拠書類となる

　事業を1年間続けると、帳簿をはじめ領収書や請求書など書類が山のようにたまります。「申告が終わったからまとめて捨てよう」といきたいところですが、そうはいきません。**帳簿や領収書などは一定期間保存することが、法律で義務づけられている**のです。税務調査などで帳簿などが保存されていなかった場合、青色申告が取り消され、白色申告として再計算されます。

　現金出納帳や売掛帳、買掛帳などの帳簿、貸借対照表や損益計算書などの決算書類、さらに領収書や請求書など、お金の出入りにかかわる書類は、原則7年間保存しなければなりません。その他、取引にかかわる書類（請求書の控えや見積書、契約書など）は、5年間保存しなければなりません。

令和6年1月から電子取引データは電子保存（原則）

　一定条件のもとで、帳簿などをデータにして保存することができます（電子帳簿保存）。サーバーやハードディスク等、CD-ROMやDVD-ROMなどの各メディアに保存する他、請求書や領収書、契約書などであればスキャナーで読み取りデータ化したものでもOKです。

　ただし、令和6年1月から、電子取引による取引データについては、原則として電子保存が義務化されました[*]。**たとえば、EDI（電子データ交換）、インターネット、電子メールなどでやりとりされた契約書や請求書、領収書などが対象です**。

税金キーワード　**インボイスの保存**　課税事業者は受け取ったインボイス、発行側はその写し（およびそれを記載した帳簿）を7年間保存する。これが仕入税額控除（→134ページ）の適用条件となる。

[*] 電子保存には、データを改ざんできない、データをいつでも確認できるなどの対策が求められるが、電子保存がされており、税務署の求めでダウンロードや出力紙の提出ができる場合、こうした対策は猶予される。

申告が終わっても、関係書類は捨てない

帳簿

総勘定元帳（そうかんじょうもとちょう）	仕訳帳（しわけちょう）	現金出納帳

売掛帳	買掛帳	固定資産台帳	経費帳	など

決算書類

貸借対照表・損益計算書（青色申告決算書）	棚卸表（たなおろし）	など

7年間 保存する

取引で発生した証憑

取引内容を明らかにする書類

●現金や預金の出入りの証拠になるもの*

領収書	預貯金通帳	請求書	など

＊白色申告または前々年分所得300万円以下は5年。

●取引の過程でやりとりした書類

請求書の控え	見積書	契約書

納品書の控え	注文書	など

5年間 保存する

注・また源泉徴収義務者には、社員が提出した年末調整書類の7年の保存義務がある。

PART3 青色申告に欠かせない 「帳簿つけ」の基本

プラスアルファの知識

データ保存の条件は緩和されている

電子帳簿保存は、税務署への事前の申請が不要になり、令和6年1月に、データの運用に関するルールやデータの検索要件も大きく緩和されました。こうした要件について確認が必要です。65万円控除を受けるにはさらに「優良な」電子帳簿＊の保存が必要です。

また、その記録の不正（仮装や隠ぺいなど）については、通常の重加算税に10％のペナルティ上乗せなど罰則があります。

＊国税庁ホームページなどで確認できる。

67

青色申告のルール
青色申告は取り消される場合がある

ルーズな経理は、青色申告者の資格なしと判断される

　青色申告では、**申告期限や納付期限は厳守**です。3月15日（土日の関係で年により1～2日遅くなる）に1日でも遅れた場合、複式簿記であっても55万円（65万円）の青色申告特別控除が10万円になります。さらに、右ページの延滞税や無申告加算税を上乗せして支払うことになります。

嘘やごまかしには厳罰がある

　さらに、きちんと帳簿をつけずに申告していたり、嘘やごまかしをした帳簿により申告して、税務調査（➡192ページ）でそれが発覚すれば、青色申告の資格なしとして、「**青色申告取り消し**」のペナルティもあります。

　もし取り消しになった場合、白色申告扱いとなり、税金が再計算されて追徴されてしまいます。このとき、過去数年間の申告分までさかのぼって調査されます。もし5年前の帳簿に嘘が見つかると、それ以後の年の青色申告の恩恵が取り消され、5年分の税金を再計算されることもあります。帳簿類を捨てたり、紛失したりすれば証拠の隠蔽とみなされます。

　また、**申告書を提出しない年が2年続いた場合**も、青色申告取り消しとなることがあります。

プラスアルファの知識
白色に戻ることもできる？

「帳簿はやっぱり面倒」と感じた人は、税務署に「所得税の青色申告の取りやめ届出書」を、その翌年の申告期限までに提出すれば、白色申告に戻れます。ただし、実際に青色申告を始めると、事業をやめるという場合以外、メリットのない白色申告に戻ろうという人は少ないようです。

申告期限を守らないと、ペナルティを受ける

確定申告書の提出が、申告期限に1日でも遅れた場合

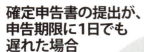

55万円（65万円）の青色申告特別控除が使えなくなる（10万円の控除となる）

遅れた日数に対して、原則として年8.7%＊の延滞税がかかる

申告期限を過ぎて申告した場合、5～30％の無申告加算税が上乗せされる場合もある

＊令和6年からの割合。

さらに

- 何年も続けて期限を守らない
- 税務調査で、帳簿類を保存していなかった、帳簿をきちんとつけていなかった、申告に嘘があった、などが明らかになった

などの場合

青色申告の資格を取り消されることも

違反のあった年は白色申告として税金を再計算され、追徴課税を受ける。青色事業専従者給与、純損失の繰越控除、貸倒引当金、減価償却の特例などが、すべて使えなくなる。

預金通帳の扱い

事業専用の預金通帳を つくっておこう

ここが ツボ 公私の区別があやふやでは、正しい儲けもわからない

仕事とプライベートの財布はきっちり分ける

　もし、プライベートのお金を使う口座と、事業用にお金を動かす口座が同じなら、すぐに**事業用の口座をつくり、仕事上のお金のやりとりは、すべてその口座に集中させましょう。**プライベートのお金が一緒になっていると、いちいち振り分ける作業をしなければならず、とても煩雑（はんざつ）で間違いも起こりやすくなります。日々の生活費は、月に一度まとめて事業用の口座から引き出し、プライベートの口座に移してから使うようにします。

　詳細は92ページで解説しますが、預金出納帳（すいとうちょう）には、銀行口座を通したお金の入出金を記録します。事業専用の口座なら、預金出納帳への入力はその転記だけで、正しく行うことができます。

口座はできるだけ少なくしよう

　また、取引先ごとに口座をつくるのは、とりまとめの作業が煩雑になるのでおすすめできません。1つの口座に事業の取引を集中させると、事業全体のお金の流れが、すっきり見えるようになります。

プラスアルファの知識
現金のやりとりを減らせば、帳簿つけが楽になる

　取引は現金による入出金を避け、預金を通して行うようにすると帳簿の手間を小さくできます。備品の購入や支払いは、引き落としや振替にすれば、記録が残り預金出納帳の管理だけですみます。通帳に記録が残るため、日付や内容を忘れてしまっても大丈夫です。

仕事とプライベートが混ざらないお金の扱い方

お金は何となく使っていると、仕事かプライベートかわからなくなり、正しく帳簿につけられなくなる

プライベート用、事業用の通帳を別につくる
お金の流れを「事業」と「プライベート」の2通りに分ける

事業用の預金通帳

取引先、顧客との入金・出金（現金で受け取った場合もいったんこの通帳に入金する）

プライベート用の預金通帳

月に1回、生活費として定額を事業用通帳から振り込む（事業用の通帳から直接引き出して使わない）

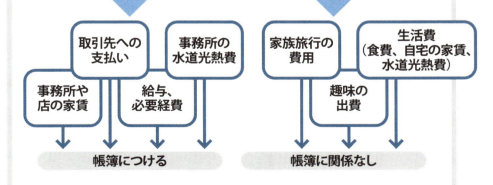

PART 3　青色申告に欠かせない「帳簿つけ」の基本

取引書類の扱い

書類をつくったら・受け取ったらすぐに整理しておこう

ここがツボ 月別・取引先別で分けておけば、帳簿とのつき合わせが簡単

　毎日の取引のなかでは、いろいろな書類が発生します。これらは帳簿をつけるときの基礎データです。きちんと分類・整理をしなければなりません。インボイス発行事業者なら、発行側、受け取り側とも、インボイスの文書について記載事項に間違いがないか確認して、整理の際は、**インボイスとインボイス以外の区分も必要です。**なお、いずれの文書もメールなど電子データでやりとりした場合は、データのまま保存することが必要です（令和6年1月〜）。

- **請求書**　請求書とは、商品を納めたり仕事が完了したときに、その代金と支払期日を明記して取引先に送る書類です。こちらが出す場合、取引先から受け取る場合があります。それぞれ、**未入金／入金ずみ、未払い／支払いずみに分けて整理します。**原則7年間の保存義務（➡66ページ）があります。

- **見積書**　取引の前に、どれくらいの金額が必要になるかを示す書類です。**日付順あるいは取引先別にファイルします。**保存義務は5年です。

- **納品書**　商品を取引先に納品する際、その内容や数量を確かに納めたことを示す書類です。**日付順あるいは取引先別にファイルします。**保存義務は5年です。

- **契約書**　取引先との事業上の約束を証明する書類です。**進行中のものと契約が完了したものを分けたうえで、契約内容ごとにファイルします。**保存義務は5年です。契約成立時に帳簿につけることはありません。

　事業に直接かかわるものと、経費にかかわるものは区別をつけ、年ごとに分類しておきましょう。

税金キーワード　**源泉徴収票**　従業員に支払った給与の総額と、天引きした所得税額などを記した書類。3部作成して、1部は従業員に配付、2部は市区町村に提出する。

請求書の整理は4区分のファイルを使う

請求書を送付する

請求書を受け取る

請求書をつくるときのPOINT
①必ず控えをとっておく
②通し番号を入れておく
③書き損じは捨てない
（不正使用を疑われないため）

未払いファイル

未入金ファイル

控えを入金予定日ごとに分けて「未入金ファイル」に保管する

支払日ごとに分けて「未払いファイル」に保管する

入金を確認

支払いがすんだ

入金ずみファイル

支払いずみファイル

「未入金ファイル」から「入金ずみファイル」に移す（取引先、月ごとに分類）

「未払いファイル」から「支払いずみファイル」に移す（取引先、月ごとに分類）

PART3　青色申告に欠かせない「帳簿つけ」の基本

領収書の整理法

領収書は「すぐ探せる」方法で整理する

ここがツボ 個人事業の節税は、いかに領収書を集めるかがカギ

領収書は必ずもらおう

　事業のために必要なものを購入した場合、必要経費として収入から差し引くことができます。その支払いを証明するのが「**領収書**」です。

　領収書には、特に決まった体裁があるわけではなく、必要なのは「**日付**」「**金額**」「**支払先**」「**但し書き（内容）**」の4項目です。もちろんレシートでもかまいません。また、インボイスとなる領収書には、原則として、発行者の名称等、登録番号など（➡22ページ）の記載が必要です。

　プライベートの買い物と一緒に購入したレシートには、どの品物が事業分なのかをマーキングしておきましょう。飲食代も領収書に「いつ、誰と、何のために」というメモを残せば、プライベートの飲食と分けられます。

すぐ探せるよう日付順に整理する

　領収書をもらうときに気をつけたいのは「但し書き」です。よくお店の人から「但し書きは？」と問われ、「お品代で」と答える人が多いようですが、あとで内容がわからず、帳簿をつけるときに迷うことがあります。できるだけ、具体的な但し書きにしてもらいましょう。

　領収書は7年間の保存義務がありますから、整理方法も大切です。税務署から提出を求められたときにあわてないよう、**日付順にスクラップブックに貼るなどして保管します。**貼るのが面倒なら、月ごとに12枚の封筒に入れておくだけでも、日付から探すことができます。

税金キーワード　印紙が必要なことも　税別5万円以上の領収書には、一定額の印紙を貼る（5万円以上100万円以下は200円など）。貼り忘れには印紙代の3倍の過怠税がかかるので注意。

領収書の整理・保存ポイント

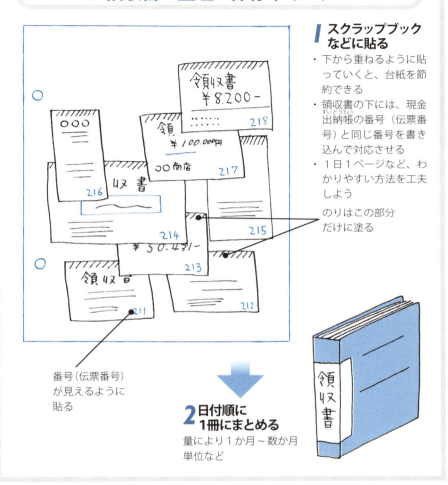

プラスアルファの知識
インボイス不要の取引もある

公共交通機関の運賃や自販機からの購入（3万円未満）、従業員に支給する出張旅費や通勤手当などは、インボイスがなくても帳簿への記載・保存で仕入税額控除を受けられます。また「少額特例」により、売上1億円以下※の事業者は、1件当たり1万円未満の仕入れや経費ならインボイス不要です（令和11年9月30日まで）。

＊基準期間（前々年）の課税売上高。または特定期間（前年の1〜6月）の課税売上高5000万円以下。

出金伝票の活用

領収書がなければ、記録して証拠を残しておく

ここがツボ 出金伝票は便利だが、疑われないよう、できるだけ証拠を残すこと

もらい損ねた領収書でもメモ書きがあれば OK

　ついうっかり、領収書をもらい損ねるときがあります。郵便切手やコンビニでのコピー機利用など小さな金額や、急いでいるときのタクシー代などです（その他、右ページのようなケース）。また、確かにもらったのに紛失するということもあります。

　しかし、領収書がなくてもあきらめないでください。74 ページでも解説しましたが、**領収書は、日付・金額・支払先・但し書き（内容）があれば、形式は問われません。**つまり、自分でメモ書きにして残してもかまいません。不自然な内容でなければ大丈夫です。

メモ書きの経費は、出金伝票に転記して帳簿へ入力

　ただし、単なるメモ書きよりは、体裁を整えたほうが信憑性が高まります。そこで、右ページのような**出金伝票**を活用します。

　出金伝票を使うときに注意したいのは、実際に事業にかかった経費のみを、正直に書くということです。もし、税務調査で嘘の伝票が 1 つ見つかれば、他の出金伝票まで疑われることになります。

　できれば、証拠となるようなものがあるとベターです（香典を渡したなら、その葬儀の会葬礼状や案内状などを保存しておく、など）。また、何万円もするような備品は、やはり領収書があったほうが無難でしょう。

　正確な日付で、現金出納帳への入力も忘れずしておきましょう。

税金キーワード　**出金伝票とインボイス**　出金伝票ではインボイス制度（仕入税額控除）の適用は受けられない。ただし、少額などではインボイス不要の場合も多いので事前に確認を（→ 75 ページ）。

こんなときは出金伝票を使おう

領収書がない

- 取引先関係の葬儀で香典を渡した
  （その他、結婚式のお祝い、お見舞いなど慶弔費）
- 仕事相手のために、自動販売機でジュースを買った
- 電車、タクシー代など交通費
  （月別に精算書をつくってまとめてもよい ➡148ページ）
- 接待で割り勘にしたとき
- 領収書をもらい忘れたとき
- 領収書をなくしてしまったとき

↓ 出金伝票の利用

必ず記載しておくポイント

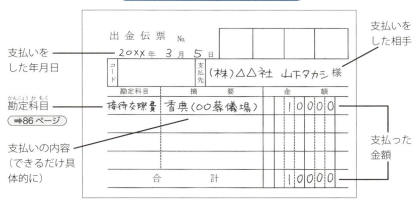

- 支払いをした年月日
- 勘定科目（➡86ページ）
- 支払いの内容（できるだけ具体的に）
- 支払いをした相手
- 支払った金額

- 文房具店などで市販されているものの他、パソコンなどで自作してもかまわない
- 1つの内容で1枚
- ボールペンなどで書く（鉛筆は×）

PART3 青色申告に欠かせない「帳簿つけ」の基本

77

青 色 申 告 あ れ こ れ コ ラ ム

インボイスや消費税に関する帳簿への記載に注意する

インボイス発行事業者（課税事業者）になると、消費税を申告して納めることになります。そのため、取引について消費税に関する内容を帳簿に記載しなければなりません。

取引が消費税の対象となるかどうか（課税、非課税、不課税等の区別）、軽減税率と標準税率の区別などです。会計ソフトを使用していれば、多くは自動的に仕分けられますが、確認ができるよう一定の知識が必要です。

インボイスが必要な取引の範囲についても、よく把握しておきましょう（➡75ページ）。

また、課税事業者との取引は仕入税額控除の対象ですが、インボイスを発行できない免税事業者との取引は対象外です。ただし、一定期間仕入税額控除を受けられる経過措置があります（下図）。取引相手ごとに、こうした違いを帳簿でしっかり区別をしておく必要があります。

免税事業者の経過措置

	令和5年10月〜	令和8年10月〜	令和11年10月〜
制度	インボイス制度 （適格請求書等保存方式）		
免税事業者 からの仕入れ の消費税	80％控除	50％控除	控除なし

注・経過措置の適用には、免税事業者からの請求書が区分記載請求書であることと、帳簿に経過措置適用の記載（「80％控除の特例」「50％控除の特例」など）が必要。

PART 4

会計ソフトならわかりやすい！

5つの基本帳簿を
使いこなす

会計ソフトによる帳簿つけ

初心者は伝票方式より帳簿方式を選ぼう

ここがツボ 設定や入力方法は、自分が使いやすいものを選ぼう

ソフトの指示にしたがって初期入力しよう

会計ソフトを購入してまず行うのは**初期設定**です。指示にしたがって入力していけば、帳簿入力がすぐ始められるところまで導いてくれます。事業の基本情報の登録→消費税の扱いの設定→勘定科目（➡86ページ）や取引先情報の登録、といった流れが一般的です。

消費税の設定は初心者にはわかりにくいところですが、原則、開業当初は消費税を納める必要はないため（前々年の売上1000万円超などが課税条件）、「**免税事業者**」を選び、帳簿の入力は「**税込**」とします（インボイス制度導入により課税事業者の選択も要検討）（➡132ページ）。勘定科目は、最初は基本設定のままにしておき、事業内容に応じて後で変更してもよいでしょう。最後に、現金出納帳と預金出納帳に、最初のお金（元入金・期首残高）を入力してスタートです。

スキルに合わせて、入力方式を選べる

また、右ページのように自分に合った入力方式を選べます。簿記の知識のない初心者なら、現金出納帳、預金出納帳など、個別の帳簿（補助簿）に入力する「**帳簿方式**」がとっつきやすいでしょう。勘定科目や金額など取引内容を入力すれば、自動的に仕訳（➡104ページ）が行われます。経理の経験があるなど、複式簿記がわかる人なら「**仕訳帳方式**」や「**伝票方式**」のほうが使いやすいかもしれません。

税金キーワード **軽減税率の帳簿記載** 課税事業者の場合、帳簿では消費税の軽減税率の適用対象に「※」「☆」といった記号をつけるなど、通常税率の項目との区別をすることが必要。

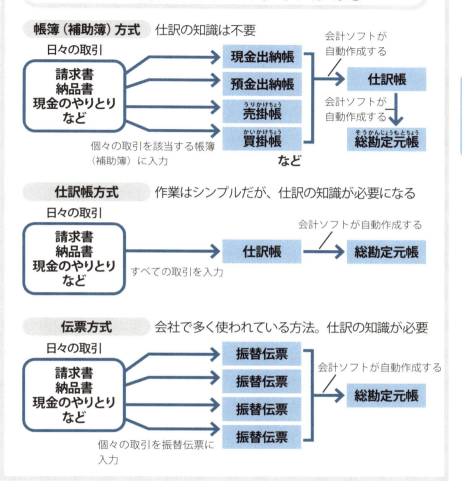

プラスアルファの知識
伝票方式にはどんなメリットがある？

　会社の経理では、今も伝票方式が多く行われています。すべての取引を個別に「伝票」という用紙に仕訳してから、必要な帳簿に転記します。帳簿を作成する経理担当者の労力を省けますが、個人事業で取引の数が多くない場合、特にメリットはありません。ただし、帳簿方式で仕訳が必要な場合には「振替伝票」を使います。

複式簿記に必要な帳簿

5つの基本帳簿（補助簿）にすべての取引を入力

ここがツボ どんな取引がどの帳簿に入るか、きちんと区別しておこう

日々の取引を記録する5つの補助簿

　会計ソフトによって異なりますが、最初にメニュー画面があり、そこから必要な帳簿を選んで、該当帳簿のページに行き、取引を入力します。取引の内容を選べば、自動的に適切な帳簿が開くソフトもあります。

　メニュー画面には、「現金出納帳」「預金出納帳」「売掛帳」「買掛帳」「固定資産台帳」の5つの帳簿（補助簿）、「仕訳帳」「総勘定元帳」「振替伝票」「入金伝票」「出金伝票」などが表示されます。

　使用するのは、「所得税の青色申告承認申請書」（➡44ページ）の「備えつける帳簿」でチェックした帳簿です。ただし、「**仕訳帳**」と「**総勘定元帳**」（➡56ページ）は、補助簿に入力することで、自動的にそのデータからつくられていくため、特別に入力作業は必要ありません（帳簿方式の場合）。簡易簿記の場合は、補助簿のみを使います。

現金出納帳が入力作業の大半を占める

　日常的には、**5つの補助簿をつけていく**ことになります。もっとも、すべての帳簿に、日々あれこれ入力が必要になるわけではありません。こまめにつける必要があるのは、現金出納帳だけでしょう（➡84ページ）。

　また、業種や業務のスタイルにより、これらの補助簿がすべて必要なわけではありません。たとえば、デザイナーや執筆業など、仕入れのない仕事なら買掛帳は不要。完全な現金商売なら、売掛帳、買掛帳とも必要ありません。

税金キーワード　公的年金と税金　公的年金のうち老齢年金には税金がかかり、一定額以上の年金は振り込み時に税金を天引きされる。障害年金、遺族年金は非課税。

複式簿記に必要となる主な帳簿 (帳簿方式)

主要簿（必ずそろえる帳簿）

仕訳帳
すべての取引を
仕訳して、発生順に
並べたもの

総勘定元帳
すべての取引を
勘定科目別に
まとめたもの

この2つの帳簿から、青色申告決算書がつくられる
ただし、下の補助簿をつければ、
どちらも会計ソフトにより自動作成される

補助簿（代表的な5つ）

現金出納帳
現金のやりとりを
入力する
→90ページ

預金出納帳
銀行口座を通した
やりとりを入力する
→92ページ

固定資産台帳
減価償却する固定資産
（パソコンや車など）を
入力する →98ページ

買掛帳
後払いの取引
（後日こちらが支払う）を
入力する →96ページ

売掛帳
後払いの取引
（後日支払いを受ける）を
入力する →94ページ

など

これらが帳簿方式の「基本帳簿」！

どの帳簿も、入力する基本は次の4つ

①日付……取引が行われた月日
②勘定科目……取引を分類する名称 →86ページ
③摘要……取引の具体的な内容
④取引金額……取引により生じたお金

PART4

5つの基本帳簿を使いこなす

83

お金の出入りを分類・把握①

現金と預金は別の帳簿に記録する

ここがツボ お金の出入りのしかたによって、帳簿を変える

その支払い、いつ入力する？

　一般に、5つの帳簿のうち、**最も出番の多いのは現金出納帳（すいとうちょう）**です。「消耗品の購入」「仕入代金の支払い」「預金をおろす」など、事業では比較的少額の現金が何かと動くためです。また、現金のやりとりは、領収書や記憶が頼りになるので、できればその日のうち、それが無理でも、週に一度程度のペースでつけておかないと、間違いや入力もれの原因になります。

　実際の取引では入金・出金とも銀行口座を通すことが多く、この場合は預金出納帳に入力します。しかし、**通帳に記録が残るので、現金出納帳ほどこまめに入力する必要はありません。**月に一度でも大丈夫です。

売掛金・買掛金は、月に一度の入力で OK

　請求書を出したときには請求金額を売掛帳（うりかけちょう）に、逆に請求書を受け取ったときには買掛帳（かいかけちょう）に入力します。いずれも、請求書などの書類をきちんと保管しておけば、毎日大量に発生するような業種でない限り、**1か月に一度程度、まとめて入力すれば問題ないでしょう。**

　青色申告で、原則30万円以上の物品（固定資産）を購入したときは、現金出納帳または預金出納帳への入力とともに、固定資産台帳に登録します。しかし、そう頻繁でなければ、**年末にまとめて登録してもよいでしょう。**

　つまり、帳簿入力の回数を減らそうと思うなら、現金のやりとりをできるだけ少なくして、現金出納帳への入力を減らすことがポイントです。

税金キーワード **国税** 国が課税する税金。所得税、法人税、相続税、揮発油税、たばこ税、印紙税、酒税、関税など。

お金の内容によって記入する帳簿は違う

～ある個人事業主の1日～

AM9:00
銀行へ行き、B社に先月分の仕入代金50,000円を振り込んだ。C社より先月分の商品代金150,000円の入金確認

50,000円 →**預金出納帳**
　　　　　および**買掛帳**へ
150,000円→**預金出納帳**
　　　　　および**売掛帳**へ

AM10:30
文房具店でコピー用紙550円を現金で購入した

550円→**現金出納帳**へ

PM1:00
D社より郵便で、今月分の仕入の請求書（額面70,000円）がとどいた

70,000円→**買掛帳**へ

PM7:00
○○さんと食事をしながら打ち合わせ。食事代5,000円をカードで支払った

5,000円→口座から引き落とし時に**預金出納帳**に記入

PM4:00
C社に、先日納品した商品の請求書（額面200,000円）を発送した

200,000円→**売掛帳**へ

お金の出入りを分類・把握②

「勘定科目」で すべての取引を区分けする

ここがツボ 必要な勘定科目は、機械的におぼえてしまうのが近道

事業のお金を「勘定科目」でグループ化する

　毎日事業のために出たり入ったりするお金、これを分類するのが「勘定科目」です。電話や郵便などの支払いなら「通信費」、文房具購入は「消耗品費」など、同じ性格のお金を同じ勘定科目（グループ）として扱い、支払いの性格ごとにまとめるのです。それぞれの勘定科目は、さらに「資産」「負債」「資本」「費用」「収益」のいずれかに入り、このグループ分けにより、青色申告決算書がつくられます（「集中講義」➡106ページ）。

青色申告決算書の勘定科目と合わせると、整理しやすい

　青色申告決算書（➡168ページ）には、一般的な勘定科目があらかじめ印字されています（通常、会計ソフトの勘定科目もこれにならっている）。87〜89ページに基本的な勘定科目を表にしたので、まずは、これに合わせて取引を振り分けるとよいでしょう。もっとも、すべてを使うわけではなく、**自分の事業で頻繁に使うものをおぼえれば、大半の取引はそれですみます。**

　なお、カメラマンなら「撮影関連費」など、他と区別しておきたいお金を、勘定科目として加えることもできます。

　「この支払いはどの科目？」と迷うこともあると思いますが、**振り分けの細かなルールは、自分で決めてかまいません。**そして、「このお金はこの勘定科目」としたら、原則として変えないことです。勘定科目の連続性が失われ、混乱のもとになります。

税金キーワード **国税不服審判所** 納税者が国税の更正または決定に対して不服がある場合に、審査を求めることができる国税庁の機関。全国12の主要都市に支部が置かれている。

ケースから選ぶ勘定科目一覧

必要なものだけ
おぼえて使おう

複式簿記の基本となる区分。
➡106 ページ

こんな場合／こんな支払い	勘定科目	区分
商品や製品の販売、サービスを提供して得たお金	➡ 売上高	収益
事業の売上高以外に得たお金	➡ 雑収入	
商品などの仕入代金（仕入にともなう運賃や手数料、関税などを含む）	➡ 仕入高	費用
固定資産税、自動車税、不動産取得税、印紙税、個人事業税など	➡ 租税公課	
商品を発送するための運賃や、段ボールやガムテープなどの梱包費用	➡ 荷造運賃	
事業用に使った水道代、電気代、ガス代、暖房代など	➡ 水道光熱費	
仕事で利用した交通費や、出張時にかかった宿泊費など	➡ 旅費交通費	
電話代、切手・はがき代、インターネット料金など	➡ 通信費	
広告の掲載料、パンフレット、チラシの製作料など、広告宣伝のための費用	➡ 広告宣伝費	
営業活動を円滑に進めるための接待や贈答品などに使った費用	➡ 接待交際費	
火災保険や事業用の自動車の自賠責・任意保険など	➡ 損害保険料	
事業用のパソコンや車などの修理・修繕やメンテナンス契約、事務所の補修費など	➡ 修繕費	
文房具やパソコンの消耗品や小物、時計、机、いす、棚、その他 30 万円未満*の備品など	➡ 消耗品費	
固定資産の価値を、耐用年数に応じて数年に分けた経費 ➡34 ページ	➡ 減価償却費	
事務所で飲むお茶代や従業員の会食、社員旅行など。また、社会保険の事業主負担分など	➡ 福利厚生費	

PART
4

5つの基本帳簿を使いこなす

＊ただし、貸付け用を除く。令和 8 年 3 月まで。

こんな場合／こんな支払い	勘定科目	区分
従業員、パート・アルバイトへ支払う給料・賞与* ＊青色事業専従者への給与は含めない。	➡ 給料賃金	費用
事業の一部または全部を、外部に発注して支払った工賃や加工賃、手間賃など	➡ 外注費／外注工賃	
事業を営むための借入金にかかる利息の支払い、受取手形の割引料など	➡ 利子割引料	
家賃、共益費など、事務所や店舗、駐車場を借りるための費用	➡ 地代家賃	
売掛金、貸付金などの債権のうち、相手先の倒産などで回収不能となった金額	➡ 貸倒金	
事業用のコピー機や車、工作機械などのリース料	➡ リース料★	
情報収集などのための新聞代、書籍代、雑誌代など（雑費にしてもよい）	➡ 新聞図書費★	
他のどの勘定科目にも当てはまらない少額の出費	➡ 雑費	
貨幣・紙幣。外貨は決算時の為替レートで円に換算する	➡ 現金	資産
いつでも入出金できる口座の預金	➡ 普通預金★	
商品の代金などとして相手から受け取った手形	➡ 受取手形	
代金後払いで掛け売りをした代金の未回収分	➡ 売掛金	
売買の目的で保有している株式、国債、社債など	➡ 有価証券	
手元にある「商品」「製品」「仕掛品」「半製品」「原材料」など。勘定科目は「　」内のものを使う	➡ 棚卸資産	
商品の仕入れや取引などで先払いしたお金。前渡金、手付金	➡ 前払金	
取引先や従業員などに貸したお金	➡ 貸付金	

こんな場合／こんな支払い	勘定科目	区分
店舗や事務所、工場、倉庫など、事業のために所有する家屋。固定資産となる	建物	資産
工場や建設現場で使われる、動力で動く製造設備や建設機械。固定資産となる	機械装置	
事業のために使われるトラックや乗用車。固定資産となる	車両運搬具	
工場などの工作用具や、仕事で使われるパソコンなどのうち、固定資産となるもの	工具 器具 備品	
土地を購入した際の取得価額や仲介手数料など。固定資産となる	土地	
NTTなどから電話加入権を取得した際の費用	電話加入権★	
事業用の現金・預金を、プライベート用に使った場合	事業主貸	
仕入代金の支払いなどで振り出した手形	支払手形	負債
仕入先から後払いで仕入れた代金の未払い分	買掛金	
金融機関や家族から借りた開業資金、運転資金	借入金	
事業で使った電話代・水道光熱費・クレジットカード払いなど、決算時に未払いの経費	未払金	
商品の引き渡し、サービスなどを提供する前に受け取った代金。手付金、内金	前受金	
一時的に預かったお金。従業員の給与から天引きした源泉徴収税など	預り金	
貸し倒れに備えて経費に計上したもの	貸倒引当金	
プライベートの現金・預金を、事業用に使った場合	事業主借	
個人のお金から用意した開業資金や運転資金	元入金	資本

★は青色申告決算書にない項目。

現金出納帳

手元の現金と帳簿残高はいつも同じでなければならない

ここがツボ その日のうちに、その日の分を入力するのが理想的

忘れないうちに入力してしまうのがコツ

毎日の現金のやりとりを、発生順に記録していくのが**現金出納帳**です。こづかい帳や家計簿とほとんど同じ流れで入力できます。

現金が必要となるのは、多くの場合必要経費です。支払いのつど領収書を受け取り、その内容を入力します。**ポイントは「こまめな入力」です**。領収書自体に、事業用とプライベート用の区別があるわけではないので、記憶がはっきりしているうちに、入力をすませてしまったほうがよいのです。

もし残高がマイナスになったら？

現金出納帳の残高がマイナス残高になったら、プライベートのお金が混じっていると考えられます。事業用の現金は手提げ金庫などにまとめておき、個人の財布から事業の出費があった場合は、すぐ金庫のお金で精算するなど、プライベートと事業の現金を、はっきり区別する工夫を考えます。

残高がどうしても合わない場合は、「事業主借」という勘定科目で、プライベートからお金を借りたことにして解決します（➡130ページ）。

✓ これも知っておこう
小売業は、小口現金とレジ現金を分けよう

小売業など、客から代金をもらい、常に現金が動く商売では、本業の現金と経費の現金も区別したほうがよいでしょう。レジの現金は本業のみに使う「レジ現金」とし、経費は月ごとに「小口現金」を準備して、ここから使います。現金出納帳でも、この２つの科目を立てて、混ざらないように管理します。

現金出納帳・はじめの1歩

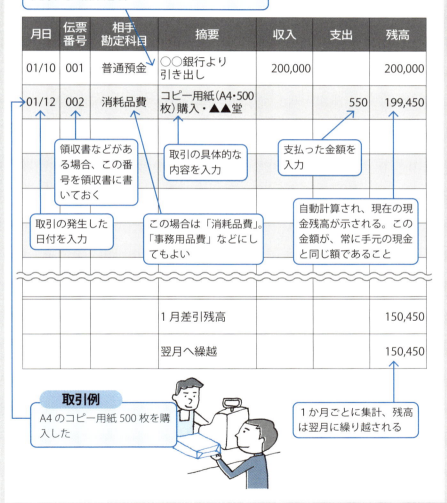

預金出納帳

銀行口座のお金の出入りを管理する

> **ここがツボ** 確実な入金・出金の証拠が残る銀行口座を、うまく活用しよう

預金通帳の内容をそのまま転記すればOK

　預金出納帳は、銀行口座を介するお金の出入りを管理する帳簿です。通帳を事業用とプライベート用に分けておけば、**入力は、通帳の内容を順に転記するだけのシンプルな作業です。**

　ただし、個々の取引の勘定科目は補わなければなりません（通帳には勘定科目がない）。入出金が何のためのものか、通帳にメモ書きしておくと便利です。なお、預金出納帳は口座単位で管理します。複数の口座がある場合には、それぞれ銀行や口座の種類を補助科目（勘定科目をさらに細かく分けて管理するための科目）として、**通帳の数だけ預金出納帳を設定します。**

現金出納帳との二重入力に注意！

　会計ソフトでは、現金出納帳と預金出納帳のお金の動きが関連づけされています。たとえば、仕事の現金支払いのために3万円引き出したとき、現金出納帳に「普通口座から3万円の引き出し」を入力すると、預金出納帳にも自動転記されます。後日、通帳を見ながら預金出納帳への入力をまとめて行う際、その項目を入力すると、二重入力になってしまいます。

　二重入力を防ぐには、**口座に記録が残るやりとりは、すべて預金出納帳に入力するなど、入力手順を決めてしまうことです。**

　なお、会計ソフトによって、通帳とは、引出／預入の欄の位置が逆になっている場合があるので、注意してください。

税金キーワード　**小口現金**　一定期間（1か月など）に経費などで使うと思われる金額を、現金で用意したもの。

預金出納帳・はじめの1歩

最初に入力すること

●開業時なら、事業の元手となる「元入金」を入金。その金額を入力する
●前年から事業が続いている場合、前年末の通帳残高を入力する

POINT

預金出納帳は、銀行の口座ごとにつくっておく

PART 4 5つの基本帳簿を使いこなす

月日	相手勘定科目	摘要	預入金額	引出金額	残高
01/07	元入金	開業資金	1,000,000		1,000,000
02/12	買掛金	仕入代金／B社		50,000	950,000
02/12	売掛金	商品代金／C社	150,000		1,100,000
02/20	事業主借	預金利息	10		1,100,010

それぞれの勘定科目「買掛金」「売掛金」を入力

取引の具体的な内容を入力

それぞれ入金された金額、振り込んだ金額を入力

通帳にある日付を入力（入力時の日付ではない）

自動計算され、現在の預金残高が示される。この残高と残高の推移が通帳と合っているか確認する

勘定科目は「事業主借」

摘要は「預金利息」とする

取引例①

B社に先月分の仕入代金5万円を振り込み。C社より先月分の商品代金15万円の入金確認
注意！ この取引を先に売掛帳や買掛帳に入力した場合は、自動転記されているため入力の必要はない

取引例②

預金利息が10円ついた
注意！ 預金利息は事業所得にならないため、プライベートから借りた処理（事業主借➡130ページ）とする

注・この表は預金出納帳の基本項目から作成した見本。消費税の課税事業者は、取引について消費税に関する区別（課税／非課税、税率10%／8%など）が必要。実際の体裁や項目内容は、会計ソフトによって異なる。

売掛帳

請求書を出した時点で入力する

ここがツボ 売掛金は確実に回収しないと、利益はあるのに現金がない！ という事態に

「後日支払いを受ける」取引をとりまとめる

　商品や製品を先に渡して、代金の受け取りは来月など、取引では**「掛け売り」**が一般的に行われます。この「受け取ることになっているが、まだ受け取っていないお金」を**売掛金**といい、**売掛帳**で管理します。

　売掛帳のメリットは、代金の回収を忘れたり、金額の間違いを防げる点です。請求書や納品書の控えをまとめておき、月に一度程度、消費税込みの金額を転記します。**入力する勘定科目は「売上高」とします。**

　売掛帳は取引先ごとにつくる（それぞれに補助科目を立てる）と、売上や回収状況などが、ひと目でわかります。未回収の売掛金が多くなりすぎると、儲かっているのにお金がない、という状態に陥りますから、要注意です。

「請求日」と「入金日」の2回入力する

　売掛帳は、1つの取引を**「請求書（または納品書）を発行した日」（売掛金の発生）**と、**「売掛金を回収した日」（売掛金の消滅）の2回入力します。**

　売掛金の発生日は、基本的に請求書の日付としますが、商品をやりとりする業種は、納品書の日付を発生日とする習慣もあります。

　口座に売掛金が入金されたら「普通預金」、現金で受け取ったら「現金」という勘定科目を使って入金額を入力します。金額が請求書と一致していればOKです。なお、入金時に振込手数料が差し引かれている場合については、120ページを参照してください。

税金キーワード　**雑所得**　総合課税の8種類の所得の1つ。他の所得のいずれにも入らない所得。代表的なものに公的年金、為替差益、アフィリエイトによる収入など。

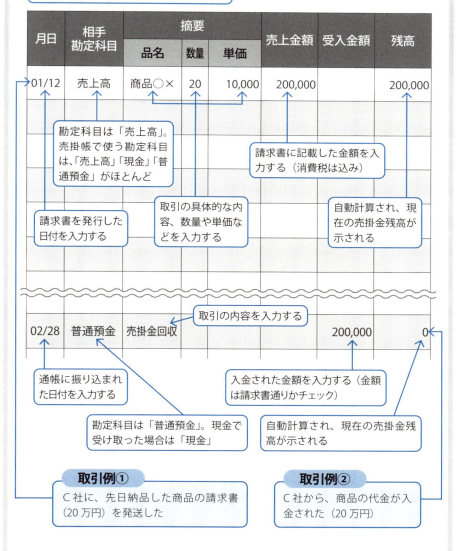

買掛帳

請求書を受け取った時点で入力する

買掛金は負債！ いくら残っているか、しっかり目を光らせておこう

「後日お金を支払う取引」をとりまとめる

　商品を先に受け取り、代金の支払いは来月など、「支払う義務があるがまだ支払っていないお金」を**買掛金**といい、**買掛帳**で管理します。

　売掛金の逆の取引なので、買掛帳は、売掛帳の売り手と買い手の立場を逆転させただけです。買掛金発生で使う勘定科目は「仕入高」とします。

　仕入先ごとに分けて（補助科目を立てて）買掛帳をつくり、月に一度程度、受け取った請求書や納品書から、消費税込みの金額を転記します。買掛帳では「支払いもれ」や「未払い代金の残りがいくらか」などをチェックします。

「請求を受けた日」と「支払日」の2回入力する

　入力も売掛帳と同じで2回行います。まず、商品を仕入れ、請求書（納品書）を受け取った日、そして、代金を支払った日です。勘定科目は、振り込みなら「普通預金」、現金払いなら「現金」を使います。このとき、預金出納帳と現金出納帳には自動転記されるので、いずれの帳簿にも入力は不要です。振込時の手数料については120ページを参照してください。

これも知っておこう
買掛帳は本業の仕入れのみで使う

　事務所で使うボールペンなどは代金後払いで買っても、買掛金にはなりません。買掛金になるのは、本業の売上にかかわる仕入れのみです。備品などの後払いは「未払金」という扱いになります。ただし、こうした費用は少額のため、後日代金を支払ったときだけ、「消耗品費」として入力するのが一般的です（➡125ページ）。

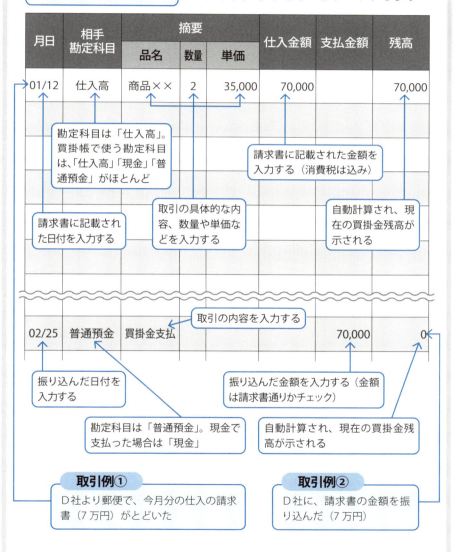

固定資産台帳

「減価償却」する備品は別扱いでまとめておく

ここがツボ 1年以上使えて30万円（白色申告なら10万円）以上の備品は「固定資産」となる

長く使用する物品はその事業の「資産」となる

　レーザープリンターや業務用の車など、30万円以上[*1]（白色申告なら10万円以上）する備品など（貸付け用除く）は、「固定資産」として、通常の経費と分けて扱います。**固定資産を管理するのが、固定資産台帳です。**

　固定資産台帳に登録された固定資産は「**減価償却**」の対象になります。法律で定められた耐用年数（使用可能期間）で、その購入金額を分けて経費にしていくのです（➡34ページ）。

償却の計算方法は2種類ある

　減価償却の計算方法には、購入金額を毎年同額ずつ償却する「**定額法**」と、最初の年に大きく償却して、次の年から徐々に償却費を減らしていく「**定率法**」があり、固定資産ごとに選ぶことができます（建物[*2]は定額法のみ）。ただし、定率法を使うときは、確定申告までに税務署に届け出が必要です。届け出をしていなければ、定額法となります。一般に定率法が有利とされますが、**計算がわかりやすい定額法のほうが、初心者にはよいかもしれません。**また、20万円未満の固定資産は、購入金額を均等分割して、3年間で償却することもできます（**一括償却資産**）。

　購入時に現金出納帳や預金出納帳に入力するとともに、固定資産台帳に登録します。ただし、30万円以上の大きな買い物はそうないでしょうから、固定資産台帳への登録は、決算時にまとめて行ってもよいでしょう。

税金キーワード　事業所税　都市環境の整備などのため、一定以上の規模で事業を営む法人や個人に対して課せられる地方税。税額は、事業所の床面積や従業員の給与総額などで計算される。

[*1] 令和8年3月まで。
[*2] 建物附属設備および構築物も含む。

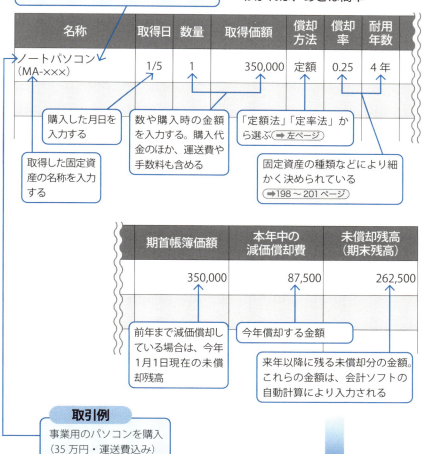

その他の帳簿

経理をスムーズにする帳簿を活用しよう

ここがツボ 事業の内容により、把握しておくべきお金の動きを帳簿にする

　基本的な5つの帳簿を見てきましたが、業務の内容などによって、その他にもさまざまな帳簿を使います。以下、簡単にいくつか解説しましょう。

・**経費帳**

　仕入れ以外の必要経費を、勘定科目別にまとめる帳簿です。複式簿記ではあまり使われませんが、簡易簿記で必要になります。現金出納帳に記帳した後に経費帳に転記、という流れになりますが、会計ソフトなら勘定科目ごとに自動転記・集計されるので、特別な入力は不要です。

・**債権債務記入帳**

　事業上の借入金や貸付金を入力する帳簿です。これも簡易簿記で必要になる帳簿です。借入や貸付のある相手別に、補助科目をつくって管理します。プライベートとのお金のやりとり「事業主借」と「事業主貸」（➡130ページ）もこの帳簿で管理します。複式簿記の場合はこの帳簿は使いません。

・**手形記入帳**

　日常的に手形を扱う場合に、振り出した手形（支払手形）と受け取った手形（受取手形）に分け、決済などを管理します。手形（約束手形）とは、将来の特定の日に支払いを約束する有価証券（お金の代わりとなるもの）です。

・**給与台帳（賃金台帳）**

　従業員を雇っている場合に、個々の従業員についての、毎月の給料や賞与の支払いや源泉徴収税額などを管理するための帳簿です。ただし、この帳簿は労働基準法で義務づけられているもので、決算や税金の計算には直接関係しません。

税金キーワード　**譲渡所得**　総合課税の8種類の所得の1つ。所有期間により所得金額の計算は異なる。ただし、土地や建物、株などの資産を売却したときは分離課税となる。

経費帳の入力例

勘定科目（同じ種類の支払い）ごとに分ける

通信費

月日	摘要	金額	合計
01/13	電話料金 12 月分	5,000	5,000
01/18	切手代（110 円× 20 枚）○○ストア	2,200	7,200

取引のあった日付を入力。カードは「払った日」ではなく「使った日」*

取引の具体的な内容を入力。カードで買い物なら「未払金」とする

金額を入力する

支出合計が自動計算される

POINT

・簡易簿記（➡54 ページ）の必須帳簿。
　必要経費と売上をはっきり分ける
・複式簿記では特に必要とされない
　（他の帳簿から自動的につくることができる）

＊または、引き落とし
時の入力でもよい。

プラスアルファの知識

定期的に儲かっているかチェックしよう

　帳簿の二重入力や入力もれなどのミスや、年の途中の業績をチェックするには、ある時点までの取引を月ごとに勘定科目別にまとめた「月次残高試算表」を活用します。この表を出力して、各科目におかしな残高がないか、きちんと儲けは出ているかなどを、定期的にチェックしておきましょう。

月次残高試算表（損益計算書）

科目	前月繰越	借方	貸方	残高
●収入金額 　売上高	1,500,000	0	400,000	1,900,000
●売上原価 　仕入高	400,000	100,000	0	500,000

まずは、それぞれの科目の残高をチェックしよう

注・経費帳、月次残高試算表は基本項目から作成した見本。実際の体裁や項目内容は、会計ソフトによって異なる。

青色申告あれこれコラム

車のさまざまな費用、きっちり経費にしよう

　車には、本体の購入費用だけでなく、さまざまな費用がかかります。ガソリン代、駐車場代、修理費、自動車税、自動車保険料など。これらの費用を、きちんと帳簿に入れていかなければなりません。

　購入費は「車両運搬具」の勘定科目で、減価償却の対象とします。購入時に、カーナビやカーキャリア、エアコン、カーステレオなどの付属品をつけた場合は、購入費に含めます。クレジットやローンで購入した場合の金利手数料は、購入費と区別して必要経費にできます。

　購入後には、下図のような費用が発生します。いずれも全額経費として認められます。図のようにそれぞれの勘定科目で分類する他、「車両費」という勘定科目で、車関連の出費を取りまとめる方法もあります。

　自家用車を仕事に使う人は、これらの費用すべてを、按分により仕事で使う分を経費にできます。1か月の仕事で使う日数や仕事で使った分の走行距離などから、合理的に分けるとよいでしょう。

車にまつわる勘定科目例

出張などの高速道路代、駐車場代、ガソリン代 ……… **旅費交通費**

自動車重量税、自動車税（種別割、環境性能割）……… **租税公課**

自動車保険料 ………………………………………… **損害保険料**

修理代、車検費用、タイヤ交換 …………………… **修繕費**

集中講義

仕訳の基礎知識

複式簿記は
習うより慣れよ

> 集中講義

複式簿記の基本

1つの取引を
2つに分けて考える

複式簿記はどうして優遇されるのか

　複式簿記とは、1つひとつの取引を「仕訳」して、帳簿につけることです（➡右ページ）。家計簿などと同じ簡易簿記（単式簿記という）では、記帳するのはお金の入金・出金だけです。複式簿記では、仕訳により**取引を「原因」と「結果」の二面からとらえることで、お金の動きにともなう商品や借金、儲けの増減まで表します。**そのために仕訳が必要なのです。

　複式簿記に基づく決算書では、事業の財政状況が明らかになります。そのため、複式簿記による青色申告には、さまざまなメリットがあるのです。

仕訳がわからないと、事業の数字もわからない

　会計ソフトで仕訳帳（あるいは振替伝票）を見ると、1つの取引項目には、必ず「借方」「貸方」（➡106ページ）という2つの欄が設けられています。取引を、**①どの勘定科目を使って2つに分けるか、②「借方」「貸方」のどちらに入れるか、**これが仕訳の手順です。

　会計ソフトにまかせれば、勘定科目の選択や、借方か貸方かなどは、ほとんど迷わずにすみます。青色申告決算書も、会計ソフトでほぼ自動的に作成可能ですから、正しく税金を納めるだけなら、まずはそれで十分といえます。

　しかし、事業の状態を正しく把握して、今後の計画を立てたい、問題点を洗い出したいという場合に、仕訳がわからなければ、決算書の数字から必要な情報を読み取ることができません。最初は難しく感じるかもしれませんが、帳簿つけに慣れてきたら、1歩前に進んでみてはいかがでしょうか。

104

取引を2つに分けるとこうなる

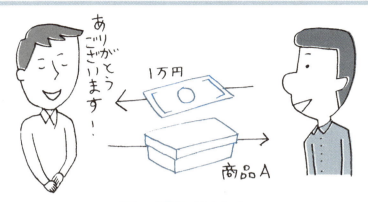

1万円の商品Aが売れた

複式簿記では、取引を2つに分けて考える
＝
仕訳

現金1万円を受け取った（結果）→ 左側へ

1万円の商品を売った（原因）→ 右側へ

帳簿ではこうなる（振替伝票の例）

| 借方 || 貸方 || 摘要 |
勘定科目	金額	勘定科目	金額	
現金	10,000	売上高	10,000	商品A売上（×1）

集中講義　複式簿記は習うより慣れよ

集中講義

貸借対照表と損益計算書

取引を仕訳して
決算時の重要書類がつくられる

借方と貸方の金額は必ず同じになる

　借方、貸方とは何でしょうか。貸方は、事業のお金を「**どこから持ってきたか（原因）**」により分類したものです。**負債・資本・収益**の３つのグループに分類されます。仕訳の際は右側に入力します。借方は、事業のお金を「**どう活用したか（結果）**」により分類したものです。**資産・費用**の２つのグループに分類されます。仕訳の際は左側に入力します。分類のしかたが違うだけですから、当然、借方、貸方それぞれの合計は同じです。

　すべての取引（勘定科目）は、借方、貸方の５つのグループのいずれかに当てはまります。そして、貸方の勘定科目でお金が増える取引では、借方のどこかでマイナスが生じます。逆に借方の勘定科目でお金が増える取引では、貸方のどこかにマイナスが生じるのです。これが仕訳の原則です。

1年の事業成果を2つの決算書にまとめる

　事業のお金を、借方と貸方に分類することで、「**貸借対照表**」と「**損益計算書**」という２つの決算書をつくることができます。これが複式簿記の最終目的です。貸借対照表は、**貸方の負債と資本、借方の資産、つまりお金の状態をまとめたもの**です。損益計算書は、**貸方の収益、借方の費用、つまり儲けと事業で使ったお金をまとめたもの**です。

　この２つの決算書は、取引を仕訳して、勘定科目により、資産・負債・資本・収益・費用のいずれかに分類していくことで、右ページ下のように完成するのです。

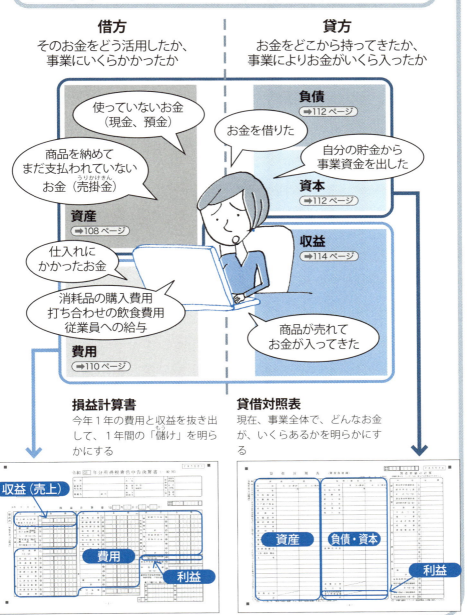

注・上の書式は令和五年分以降用。変更される場合がある。

集中講義

資産（借方）

今あるお金と
これからお金になるもの

まず、借方に入る資産と費用から見てみましょう。

資産とは、**現金および売ればお金に換算できるもの**です。土地や建物は売ればお金になるので資産です。また、売掛金のような将来にお金になるものも資産の仲間です。

代表的な資産である「商品」で考えます。商品が増える（仕入れをする）ということは、そのために使ったお金が減るということです。商品を売って商品がなくなれば、その代わりにお金が増えます。そのため、仕訳では資産グループの勘定科目が増えたときは借方（左）、減ったときは貸方（右）に入力するのです。

1万円の掛け売りをした場合、帳簿方式では売掛帳に「売上高10,000円」を入力します。この取引を仕訳する場合、売掛金の発生は資産の増加なので、「売掛金10,000円」を借方（左）、貸方（右）に「売上高10,000円」を入力するわけです。

資産とは

事業に使える財産…お金（現金、預金）、売るとお金になるもの、これからお金になるもの

資産となる主な勘定科目

現金　普通預金　受取手形(うけとりてがた)　売掛金　有価証券　棚卸資産(たなおろししさん)　前払金
貸付金　建物　機械装置　車両運搬具　工具器具備品(じぎょうぬしかし)　土地
電話加入権　事業主貸(じぎょうぬしかし)　（それぞれの内容は➡88〜89ページ）

仕訳の基本ルール

これらの勘定科目が増えたときは 借方（左）へ入れる	これらの勘定科目が減ったときは 貸方（右）へ入れる

仕訳例　借方に入れるか貸方に入れるか

資産にかかわる基本的な仕訳例。帳簿方式でも振替伝票を使うときに必要になる。
試算表のチェックにも役立つので、最低限の知識を持っておこう

商品を仕入れて代金1万円を支払った

この取引の勘定科目は「仕入高」と「現金」

借方		貸方	
勘定科目	金額	勘定科目	金額
仕入高	10,000	現金	10,000

現金が減ったので右側に

普通預金から2万円を引き出した

この取引の勘定科目は「普通預金」と「現金」

借方		貸方	
勘定科目	金額	勘定科目	金額
現金	20,000	普通預金	20,000

現金が増えたので左側に　　普通預金は減ったので右側に

事業用の車を80万円で買った

この取引の勘定科目は「車両運搬具」と「現金」

借方		貸方	
勘定科目	金額	勘定科目	金額
車両運搬具	800,000	現金	800,000

車両運搬具（車）を手に入れたので左側に　　現金は減ったので右側に

集中講義

複式簿記は習うより慣れよ

109

集中講義

費用（借方）

利益を得るために使ったお金

　費用とは、**事業のために使ったお金**です。仕入れにかかったお金のほか、消耗品の購入費、交通費など、いわゆる必要経費となるものです。**最も勘定科目の種類が多いところです。**

　費用は「発生した」と考え、発生した費用の内容を借方（左）に入力します。費用が発生すればお金が減るので、貸方（右）にはどんなお金が出ていったか（支払方法）を入力します（現金や普通預金など）。

　事務所の電気代1万5000円を現金で支払った場合、帳簿方式では現金出納帳に「水道光熱費 15,000円」を入力します。この取引を仕訳すると、電気代が発生したので借方（左）に「水道光熱費 15,000円」、貸方（右）に「現金 15,000円」となります。ルールはシンプルなので理解しやすいでしょう。

　費用は、売上（貸方の収益）を得るために使われるお金です。売上から費用を引くと、利益が算出できます。そのため、**費用と収益を合わせることで、1年間の儲けを表す損益計算書がつくられるのです。**

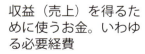

費用とは

収益（売上）を得るために使うお金。いわゆる必要経費

費用となる主な勘定科目

仕入高　租税公課　荷造運賃　水道光熱費　旅費交通費　通信費　広告宣伝費　接待交際費
損害保険料　修繕費　消耗品費　減価償却費　福利厚生費　給料賃金　外注工賃　利子割引料
地代家賃　貸倒金　リース料　新聞図書費　雑費　（それぞれの内容は➡87〜88ページ）

仕訳の基本ルール

これらの勘定科目は 借方（左）へ入れる	支払いの方法を 貸方（右）へ入れる

仕訳例　借方に入れるか貸方に入れるか

費用にかかわる基本的な仕訳例。帳簿方式でも振替伝票を使うときに必要になる。
試算表のチェックにも役立つので、最低限の知識を持っておこう

**書類ケースを
2200円で
買った**

この取引の勘定科目は「消耗品費」と「現金」

借方		貸方	
勘定科目	金額	勘定科目	金額
消耗品費	2,200	現金	2,200

発生した消耗品費を左側に

**求人広告を出して
その代金
15万円を
支払った（振込）**

この取引の勘定科目は「広告宣伝費」と「普通預金」

借方		貸方	
勘定科目	金額	勘定科目	金額
広告宣伝費	150,000	普通預金	150,000

発生した広告宣伝費を左側に

**事務所の家賃
10万円が
引き落とされた**

この取引の勘定科目は「地代家賃」と「普通預金」

借方		貸方	
勘定科目	金額	勘定科目	金額
地代家賃	100,000	普通預金	100,000

発生した地代家賃を左側に

集中講義　複式簿記は習うより慣れよ

集中講義

負債（貸方）と資本（貸方）

事業のために借りてきたお金、自ら出したお金

　ここからは、貸方グループの負債、資本、収益を解説します。

　負債とは借金のこと。つまり、**いつかは返さなければいけないお金**です。勘定科目としては、借入金や買掛金などがあります。資本は、事業のために準備した、**返す必要のないお金**です。個人事業では元入金といい、前年の利益やプライベートとのやりとりを相殺するため、年ごとに変動します。

　事業のために銀行から100万円を借り入れたとき、帳簿方式では預金出納帳に「借入金100万円」と入力します（振り込みの場合）。これを仕訳すると、負債が増えるので貸方（右）に「借入金100万円」、借方（左）には「普通預金100万円」と入力します。負債、資本とも、調達方法の違いはあれ、事業に使えるお金（財産）ですから、仕訳のルールは共通です。

　事業の財産である負債と資本の合計よりも、資産の金額が多くなっている場合、その差額（増加額）が事業により生じた利益です。**負債・資本と資産の勘定科目を一覧にしたものが、貸借対照表です。**

負債・資本とは

負債…借金や買掛金など、支払わなければならないお金
資本…自分が出した事業の元手

負債、資本となる主な勘定科目

負債 支払手形 買掛金 借入金 未払金
前受金 預り金 貸倒引当金 事業主借
資本 元入金 （それぞれの内容は ➡89ページ）

仕訳の基本ルール

これらの勘定科目が減ったときは 借方（左）へ入れる	これらの勘定科目が増えたときは 貸方（右）へ入れる

仕訳例　借方に入れるか貸方に入れるか

負債、資本にかかわる基本的な仕訳例。帳簿方式でも振替伝票を使うときに必要になる。試算表のチェックにも役立つので、最低限の知識を持っておこう

開業時に事業資金50万円を事業用口座に入金した

この取引の勘定科目は「普通預金」と「元入金」

借方		貸方	
勘定科目	金額	勘定科目	金額
普通預金	500,000	元入金	500,000

元入金が増えたので右側に

7万円の商品を掛けで仕入れた

この取引の勘定科目は「仕入高」と「買掛金」

借方		貸方	
勘定科目	金額	勘定科目	金額
仕入高	70,000	買掛金	70,000

買掛金が増えたので右側に

7万円の商品代金（買掛金）を支払った

この取引の勘定科目は「買掛金」と「普通預金」

借方		貸方	
勘定科目	金額	勘定科目	金額
買掛金	70,000	普通預金	70,000

買掛金が減ったので左側に

集中講義 複式簿記は習うより慣れよ

集中講義

収益（貸方）

事業によって手に入れたお金

　収益とは、**商品などを売って得たお金、つまり売上**です。収益から費用（仕入代金など必要経費）を引いた金額が儲けとなります。収益は得るものですから、基本的に増えることになります。収益の勘定科目はほとんどが売上高ですが、本業以外からの収入は雑収入を使うこともあります。

　収益は、費用と同様「発生した」と考えますが、費用とは逆に、貸方（右）に入力します。たとえば、5000円の商品が売れた場合、現金（預金）出納帳に「売上高 5,000円」と入力します。これを仕訳すると、売上が発生したので貸方（右）に「売上高 5,000円」、借方（左）に受け取りの方法（現金か振込かなど）として「現金（または預金）5,000円」を入力します。

　この取引は、現金に注目すれば、資産が増えた場合の仕訳と同じことです。

　仕訳の理屈は、なかなか理解しづらいものですが、**使用するパターンは限られています。**実務で繰り返し行っているうちに、自然に身についてくるでしょう。難しく考えず、まずチャレンジしてみてください。

収益とは

事業で手に入れたお金。ただし、実際手元に残るのは、かかった費用を支払った後の金額

収益となる主な勘定科目

売上高　雑収入　（それぞれの内容は ➡87ページ）

仕訳の基本ルール

受け取りの方法を 借方（左）へ入れる	これらの勘定科目は 貸方（右）へ入れる

仕訳例　借方に入れるか貸方に入れるか

収益にかかわる基本的な仕訳例。仕訳伝票で取引を入力するときや振替伝票を使うときに必要になる。試算表のチェックにも役立つので、最低限の知識を持っておこう

5000円の商品を売って代金を受け取った

この取引の勘定科目は「現金」と「売上高」

借方		貸方	
勘定科目	金額	勘定科目	金額
現金	5,000	売上高	5,000

売上高を右側に

期末に原因がわからない現金6000円がある

この取引の勘定科目は「現金」と「雑収入」

借方		貸方	
勘定科目	金額	勘定科目	金額
現金	600	雑収入	600

雑収入を右側に

プラスアルファの知識
帳簿につける「取引」の範囲とは

　取引のうち、帳簿につけるのはお金に換算できる取引です。そのため、売買契約などは帳簿には無関係です。また、火事や災害で事務所に被害が出た場合、取引ではありませんが、資産の減少を調べて、帳簿につける必要があります。

集中講義　複式簿記は習うより慣れよ

115

青 色 申 告 あ れ こ れ コ ラ ム

税理士にお願いすると
いくらかかる？

　会計ソフトを使ってもなかなか時間が割けない、帳簿つけは苦手、消費税の経理がわからないといった人は、税金のプロである税理士に顧問を依頼することもできます。

　依頼する内容（決算作業のみ、請求書や領収書を渡してすべてをお願いするなど）や作業量などによって、料金は大きく異なりますが、一般に月に数万円というところです。月3万円なら、年36万円、高いと考えるか、安いと考えるかは、個々の判断です。できる限り作業は自分で行い、依頼量を減らせばその分安くすみます。

　知人に紹介してもらったり、インターネットを使って探すこともできます。まず、税理士会に所属しているかどうか確認しましょう。

　また、帳簿をつけていると、さまざまな疑問が生じるものです。税理士は税金相談にも対応しています。その他、下記のような相談先があります。気軽に利用してみましょう。

困ったときはここに相談

税務署の
電話相談センター

各地の税務署では、電話による税金相談を受け付けている。最寄りの税務署に電話すると、音声案内により、回線の空いているところにつないでくれる。相談日時を予約すれば、直接相談することもできる（無料）。

税理士会の
無料相談会

確定申告の時期などに、各都道府県の税理士会が無料相談会を開催することがある。対象が小規模事業者限定のものもあるので、事前に確認を。また、無料相談コーナーなどを設置する税理士会もある。

青色申告会

青色申告会は、全国各地にある青色申告を推進する経営者などの自主団体。加入していれば、帳簿つけなどの相談をすることができる。ただし、会費が必要（会により異なるが、年1万～2万円程度）。

PART 5
初心者が必ず迷う仕訳と勘定科目

こんなときどうする
帳簿ケーススタディ

ケーススタディ

商品を値引きして売った

値引きした分は
帳簿からきちんと引いておく

ここがツボ　値引きの内容を明らかにするかどうかによって、入力方法が変わる

　商品を納めたとき、汚れや破損のため、取引先から値引きを要請されたり、返品を受けたりすることがあります。仕入れ時にも、返品したり、値引きを受けることがあるでしょう。帳簿ではどう入力すればよいでしょうか。

　値引きの場合、**①売掛金、買掛金の入力時に、最初から値引き後の金額を入力する方法**と、**②もとの価格を入力して値引き額を別に入力する方法**があります（➡右ページ）。どちらを選んでもかまいませんが、入力の手間を省きたいなら①、値引きの金額を把握しておきたいなら②を選びます。

　返品の場合も、値引きと考え方は同じです。返品後の数量で金額を入力するか、もとの売掛金、買掛金はそのまま入力して、返品した数量を売掛金や買掛金から減らす処理をします（勘定科目は、売掛金の場合は「**売上戻し**」、買掛金の場合は「**仕入戻し**」とする）。

　また、まとめて商品を仕入れたときなどに、一定の割引を受けることがあります。帳簿には、上記②の方法により「**仕入割戻**」として、割引された金額を入力します。こちらが、納品した商品に対して割引する場合は「**売上割戻**」として割引額を入力します。

プラスアルファの知識
商品をプライベートで使ったら

　たとえば、弁当屋で売れ残りを家族で食べた場合など、商品をプライベートで消費することを「家事消費」といいます。商品が減っているのですから、その分を帳簿に入力しなければ、帳簿の金額が合わなくなります。
　家事消費は、「事業主個人に売った」ものとして、現金出納帳に「事業主貸」の勘定科目で入力します。金額は、仕入価格と販売価格の70％を比べ、いずれか高いほうを選べます。

値引きや返品の入力は、2つの方法から選べる

売るとき

納めた商品A（1万円）に汚れがあったため、1000円値引きした（掛け売りで代金はまだもらっていない）

売掛帳

①値引きした後の金額を入力する

月日	相手勘定科目	摘要			売上金額	受入
		品名	数量	単価		
03/04	売上高	2月分商品A	1	9,000	9,000	

②もとの金額を入力して、値引き金額を別に立てる

月日	相手勘定科目	摘要			売上金額	受入
		品名	数量	単価		
03/04	売上高	2月分商品A	1	10,000	10,000	
03/04	売上値引き	2月分商品A値引き			△ 1,000	

応用 商品の返品は、②の2行目の勘定科目を「売上戻し」とする

買うとき

受け取った商品B（1万円）に汚れがあったため1000円の値引きを受けた（掛け買いで代金はまだ払っていない）

買掛帳

①値引きされた後の金額を入力する

月日	相手勘定科目	摘要			仕入金額	支払
		品名	数量	単価		
04/22	仕入高	3月分商品B	1	9,000	9,000	

②もとの金額を入力して、値引き金額を別に立てる

月日	相手勘定科目	摘要			仕入金額	支払
		品名	数量	単価		
04/22	仕入高	3月分商品B	1	10,000	10,000	
04/22	仕入値引き	3月分商品B値引き			△ 1,000	

応用 商品の返品は、②の2行目の勘定科目を「仕入戻し」とする

①のメリット→入力の手間がかからない

②のメリット→値引き金額を把握できる

①と②のどちらを選んでもよい

注・値引きや返品を行った場合、インボイスをやりとりしていれば、原則として発行した側がインボイスを再発行する必要がある（1万円未満なら免除）。

PART 5 こんなときどうする 帳簿ケーススタディ

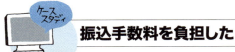

ケーススタディ

振込手数料を負担した

振込手数料は「振替伝票」で処理する

ここがツボ 仕訳の知識が必要だが、業務内容によりパターンは限られる

複数の勘定科目がかかわる取引で使う

　本書では、帳簿方式で帳簿つけをすることを前提としています。しかし、現金出納帳や預金出納帳などでは、入力が面倒な取引があります。複数の勘定科目がかかわる取引です。たとえば、商品代金の振り込みがあったとき、振込手数料が差し引かれるような場合です。こうした取引では、1つの勘定科目（売掛金）に対して、2つの勘定科目（普通預金と支払手数料）を立てなければ、計算が合わないことになります。

　こんな場合は、会計ソフトのメニュー画面から「**振替伝票**」を選んで入力します。振替伝票では、**1つの取引に複数の勘定科目がかかわる場合（複合取引という）の入力ができる**のです。

左（借方）と右（貸方）の金額が合えばOK

　ただし、**自分で仕訳を行う必要があります。**売掛金20万円が入金されたとき、振込手数料400円が差し引かれて、19万9600円となっていた場合、まず、1行目は「（借方）普通預金199,600／（貸方）売掛金200,000」とします。次の行の借方欄に「支払手数料400」と入力します。これで借方と貸方の金額が一致します。振替伝票に入力した内容は、関連する帳簿に自動転記されるので、これで入力完了です。

　最初は迷うかもしれませんが、複合仕訳が必要になる取引は限られています。パターンを覚えてしまえば、スムーズに入力できるようになるでしょう。

税金キーワード　**小切手**　金額を書き込むことで、金融機関に支払いを委託できる有価証券。扱うには当座預金の口座が必要（当座預金の出納帳をつくる）。令和8年度末までに全面電子化。

振替伝票を使ってみよう

[取引例]

商品代金
20万円の入金時に、
こちらが振込手数料を
負担した

この取引の勘定科目は「普通預金」「支払手数料」「売掛金」

借方		貸方		摘要
勘定科目	金額	勘定科目	金額	
普通預金 (△△銀行)	199,600	売掛金	200,000	●●社より売掛金回収
支払手数料	400			振込手数料
借方合計	200,000	貸方合計	200,000	

- 売掛金がなくなったので貸方に入力
- 普通預金が増えたので借方に入力
- 支払手数料は売掛金と相殺するため借方に入力
- 同じ金額になる

振替伝票に入力した内容は、関連する帳簿に自動転記される

→ 現金出納帳　　→ 預金出納帳　　→ 売掛帳

など

ケーススタディ 仕事前に手付金をもらった

手付金は「前受金」「前渡金」として入力する

ここがツボ 勘定科目さえ知ってしまえば入力は簡単

　実際に商品を受け取ったり、サービスの提供を受ける前に、代金の一部を支払ったり、逆にこちらが商品やサービスの提供をする前に、代金の一部を受け取ることがあります。このお金を、**手付金、内金**などといいます。

　こうしたお金が発生したときは、支払ったとき＝「**前渡金**」、受け取ったとき＝「**前受金**」という勘定科目を使います。買掛帳や売掛帳ではなく、現金出納帳などに下図のように入力すればOKです。

　前受金は負債、前渡金は資産として扱われます。前受金の場合、後日**商品を納品した時点で、振替伝票により、前受金と残りの売掛金を借方、合計した売上高を貸方に入力して相殺します**（この時点で収益となる）。前渡金は借方に仕入高を立て、貸方に前渡金と残りの買掛金を入力して相殺します（この時点で費用となる）。

帳簿は、お金のやりとり方法で選ぶ

●取引先から手付金15万円を現金で受け取った

現金出納帳

月日	伝票番号	相手勘定科目	摘要	収入	支出	残
05/15	066	前受金	○×社より手付金として	150,000		

●外注先に手付金10万円を振り込んだ

預金出納帳

月日	相手勘定科目	摘要	預入金額	引出金額	残
06/15	前渡金	△△事務所へ手付金として		100,000	

ケーススタディ

銀行からお金を借りた
利息は、元本と分けて必要経費にできる

ここがツボ 借入金の元本は当然負債だが、借入金の利息は必要経費にできる

運転資金のために、金融機関からお金を借りることもあるでしょう。借り入れたお金には利息がつき、実際に返済する金額は、借り入れた金額より多くなります。借入金の返済を入力するときは、**この元本（借り入れた金額）と利息を、分けて入力する必要があります**。利息の勘定科目は「**利子割引料**」で、必要経費となります。複合取引となるため、使うのは振替伝票です（下図参照）。

事業用の車の購入などで、ローンを利用したときも同様です。ただし、本体価格の支払いの勘定科目は借入金ではなく、「**未払金**」とします。また、車の場合は本体価格が減価償却の対象となるので、「**車両運搬具**」として、固定資産台帳に登録しておくことが必要です。金利手数料は「利子割引料」として、必要経費にできます。

利息は必要経費となるため、元本と分けて入力

●毎月13万円（うち利息1万円）を○○銀行に返済

振替伝票

借方		貸方		摘要
勘定科目	金額	勘定科目	金額	
借入金	120,000	普通預金	130,000	返済（元本）○○銀行
利子割引料	10,000			返済（利息）○○銀行
借方合計	130,000	貸方合計	130,000	

新規借入で保証料や印紙代（税）が発生する場合は、借方に続けて入力

PART 5 こんなときどうする 帳簿ケーススタディ

外注費を支払う

相手が法人なら源泉徴収の必要はない

ここがツボ 外部に対する源泉徴収のルールを知っておこう

　発注者として外部の人に仕事を頼んだとき、支払いから、**10.21％の源泉徴収税の天引きが必要になる場合があります（所得税＋復興特別所得税）**。相手が個人で、支払内容が、原稿料、講演料、また、税理士など特定の資格を持つ人に対する報酬である場合などです＊。

　源泉徴収した場合は、振替伝票で下図のように入力します。源泉徴収とは所得税を一時的に預かることなので、「**預り金**」という勘定科目を使います。天引きした税金は、翌月10日までに税務署に納付します（➡50ページ）。

　相手が会社なら、天引きの必要はありません。また、相手が個人でも、支払い側に従業員や専従者がおらず、**「給与支払義務者」でなければ、原則として源泉徴収する必要はありません**。

＊詳しくは国税庁の「源泉徴収のあらまし」参照（国税庁のホームページからダウンロードできる）。

源泉徴収は「預り金」で処理する

●外注費（原稿料）8万円を源泉徴収して振り込んだ

振替伝票

| 借方 || 貸方 || 摘要 |
勘定科目	金額	勘定科目	金額	
外注費	80,000	普通預金	71,832	山本五郎氏へ原稿料
		預り金	8,168	源泉税
		100万円未満は10.21％		
借方合計	80,000	貸方合計	80,000	

なお、外注費の請求書を受けた場合は、「買掛金」として、買掛帳に入力しておく

ケーススタディ
クレジットカードで備品を買った

実際の引き落としのときに帳簿入力すればOK

ここがツボ
帳簿つけで混乱しないよう、事業専用のカードを使おう

　コンビニの買い物などでも、クレジットカードを使うことがあります。クレジットカード払いは、一種の掛け買いです。基本的には「消耗品費」として、購入時に買掛帳へ「未払金」の発生を記帳しておき、引き落とされたときに「未払金」の勘定科目で処理を完了させます。買掛帳につけると本業のお金とまぎらわしい場合は、「未払金帳」をつくって、別にまとめてもよいでしょう。

　しかし、これでは手間が大きいので、実際には、**口座から引き落とされたときの一度の入力でもかまいません。ただし、購入と支払いが年をまたぐ場合には、決算時に未払金を立てて、今年の必要経費に含めるようにします。**

　なお、プライベートの使用を混同すると入力に手間がかかり、混乱のもとです。事業専用のカードをつくり、分けて管理するようにしましょう。

PART 5　こんなときどうする 帳簿ケーススタディ

入力は、引き落とし時の1回でもよい

●カードで買った備品代金 3000円が引き落とされた

預金出納帳

月日	相手勘定科目	摘要	預入金額	引出金額	残
05/14	消耗品費	消耗品代金引き落とし		3,000	

備品の内容に応じて「事務用品費」などに分類してもよい

年内にカードで購入、支払いは年明けという場合は、未払金として今期の必要経費に入れられる

プライベートの使用が生じたときは「事業主貸」で処理（→130ページ）

125

仕事用の車を買った

中古なら償却期間が短いので節税効果が高い

ここがツボ ポイントさえ押さえておけば、後は会計ソフトが計算してくれる

固定資産台帳で、高額な経費を管理

　30万円以上＊（青色申告の場合）の車や備品など（貸付け用除く）は、固定資産台帳に登録して管理します。高額な支出はその耐用年数に基づいて、数年にわたって経費として計上し、毎年償却していくのです（➡34ページ）。なお、購入金額は「消費税込み」の金額を入力します（税込処理の場合）。

中古は、新品より早く経費化できる

　固定資産を年の途中で購入した場合は、減価償却できるのは購入した月からです。固定資産台帳の**「本年中の償却期間」の欄（名称はソフトにより異なる）に、購入した月から年末までの月数を入力します。**端数は切り上げです（例・年末まで6か月と8日なら7か月）。

　固定資産の耐用年数は、税務署が詳細な「耐用年数表」を配布しているので、それをもとに決めます（➡198ページ）。ただし、この表は新品が対象です。**中古の車や備品は、新品より耐用年数を短く扱えます。**すでに耐用年数を過ぎているなら、右ページのように算出します。まだ耐用年数が残っているなら、「法定耐用年数－（経過年数×0.8）」で耐用年数を求めます（いずれも計算結果が2年未満なら2年。2年以上の場合、1年未満の端数は切り捨て）。

　中古なら早く経費として償却できるため、節税効果は高いといえます。

　また、購入した年に減価償却の処理をしていない場合、**翌年に2年分まとめて償却することはできません。**減価償却できるのはその年分だけです。

税金キーワード　申告分離課税　他の所得とは切り離して課税される所得のうち、自分で税額を計算して、確定申告により納める税金。株式や不動産を売って得た利益などが対象。

＊令和8年3月まで。

よくある固定資産の入力例

● 10月に40万円のパソコンを買った

現金出納帳

月日	伝票番号	相手勘定科目	摘要	収入	支出	残
10/21	444	工具器具備品	パソコンα-1購入（○○電器）		400,000	

現金出納帳入力後、固定資産台帳に入力する

POINT

今年償却できる金額は月割りで計算

$$1年分の償却費 \times \frac{購入日から年末までの月数}{12}$$

このケースで今年減価償却できるのは **25,000円**（1年分は100,000円）

固定資産台帳

名称	取得日	数量	取得価額	償却方法	償却率	耐用年数	本年中の償却期間
パソコンα-1	10/21	1	400,000	定額	0.25	4年	3/12

注1・会計ソフトでは条件を入力すると自動計算される。月数の端数は切り上げ。

●中古の車70万円（6年落ち）を仕事用に買った

現金出納帳

月日	伝票番号	相手勘定科目	摘要	収入	支出	残
01/21	344	車両運搬具	中古乗用車購入		700,000	

現金出納帳入力後、固定資産台帳に入力する

POINT

耐用年数を超えている中古資産の耐用年数は、

法定耐用年数 × 0.2 で算出できる

このケースの耐用年数は2年となり、新車（耐用年数6年）より早く経費にできる

固定資産台帳

名称	取得日	数量	取得価額	償却方法	償却率	耐用年数	本年中の償却期間
中古乗用車	01/21	1	700,000	定額	0.5	2年	12/12

注2・会計ソフトでは条件を入力すると自動計算される。

PART5 こんなときどうする 帳簿ケーススタディ

ケース
スタディ　**取引先が倒産した**

取りはぐれた売掛金は 「貸し倒れ」で処理する

ここが
ツボ　**帳簿上から売掛金を消して、必要経費にできる**

売掛金と相殺して「売上がなかった」ことにする

　不幸にして相手の事情で、売掛金が回収できない事態も起こります。もし、相手の倒産などにより、売掛金を取りはぐれた場合には、「貸倒金」（貸倒損失ともいう）という勘定科目により、**売掛金全額を経費として扱うことができます。**すでに立ててあった売掛金と相殺するのです。

　しかし、貸倒金を計上するには、民事再生法による再生計画の決定、法的な手続きを経た倒産や破産など、**客観的に見て回収不能（右ページの1～3など）でなければなりません。**「督促しても払ってくれない」程度では、貸倒金にはできません。

貸倒引当金は転ばぬ先のつえとなる

　危険度の高い取引先への売掛金は、事前に「貸倒引当金」を立てておき、取りはぐれに備えることもできます。回収できないかもしれない売掛金の額を事前に見積もって、**いざというときの損失を補填するため、必要経費の形で用意しておくものです。**実際に回収不能となった場合には、まず貸倒引当金で相殺し、それでも不足する部分を、上記の貸倒金で処理します。

　ただし、貸倒引当金も貸倒金と同様、客観的に見て、回収の見込みがほぼ絶望的である必要があります。計上の前に、税務署に相談してみてください。

　その他、青色申告なら、年末に回収できていない売掛金残高の5.5%を、経費として計上することができます（➡32ページ）。

税金キーワード　**資本金**　会社を始める際、元手として用意するお金。金額には特に定めはなく、会社の規模などに応じて自由に決められる。個人事業の元入金にあたる。

貸倒金とするには、一定の条件がある

1 債権の全額を回収する見込みがない
- 相手の資産状況などから、明らかに全額の回収が困難な場合
- 民事再生計画、債権者会議などにより、売掛金が切り捨てられた場合

2 一定期間取引がない
取引先の状態が悪化したため取引停止を行ってから、売掛金が回収されないまま1年以上経っている場合

3 取り立てる費用がかかりすぎる
遠方の取引先などで、督促しても支払われず、取り立てのための旅費などが売掛金よりも多くかかってしまう場合

> こうした条件を満たす場合に、「貸倒金」とすることが認められる

入力例
● 取引先が倒産！ 30万円の売掛金が回収不能になった

売掛帳

月日	摘要 相手勘定科目	品名	数量	単価	売上金額	受入金額
10/13	貸倒金	売掛金回収不能（□□社）				300,000

この処理により、以前入力した売上金額300,000円と相殺して0にする

PART 5 こんなときどうする 帳簿ケーススタディ

ケーススタディ 個人の貯金から事業費用を出した

「プライベート」の自分から借りたことにする

ここがツボ　「事業主貸」「事業主借」で、プライベートとの間に線を引くことができる

プライベートとのやりとりで活躍する勘定科目

　個人事業主の生活費は、事業で得たお金でまかなわれます。また、事業の資金繰りが厳しくなったとき、個人の貯蓄から補填する場合もあるでしょう。生活費を事業用のお金から引き出した場合、「**事業主貸**」という勘定科目により、**事業主がプライベートにお金を貸した扱い**にします。個人の貯金を事業のお金に補填した場合は、「**事業主借**」という勘定科目で、**事業主がプライベートからお金を借りた扱い**にします。

　この2つの勘定科目により、事業のお金とプライベートのお金に線引きできるのです。

事業と個人のお金が混じるときは「按分」で解決

　プライベートと事業の両方にかかわるお金もあります。自宅と仕事場が一緒の場合の、家賃や水道光熱費、通信費などです。この場合、**それぞれの使用割合を計算して、費用を「按分」します**（→140〜143ページ）。そのお金が事業用の口座から出ているときは、プライベート分を「事業主貸」、個人の口座の支払いなら事業分を「事業主借」として処理します。この処理は、決算時にまとめて行ってもかまいません。会計ソフトなら、按分率を事前に登録しておけば、自動的に按分されます。

　また、預金などの利息は、事業による所得ではなく利子所得となるため、「事業主借」として、事業の収入とは別に処理します。

税金キーワード　**税制改正**　年に一度行われる税制の見直し。予算案や関係各所の要望を受け、年末までに「税制改正大綱」がつくられる。その後、閣議決定→国会承認を経て、正式決定する。

事業主貸、事業主借、違いをしっかり理解しよう

事業主貸

「事業主が(プライベートのために)お金を使った」処理をする

事業用のお金から
・生活費を引き出した
・プライベートのものを買った
・所得税を支払った
・健康保険料を支払った　など

入力例

●事業用の口座から生活費10万円を引き出した

預金出納帳	月日	相手勘定科目	摘要	預入金額	引出金額	残
	10/01	事業主貸	10月分生活費		100,000	

事業主借

「事業主が(プライベートから)お金を借りた」処理をする

プライベートのお金から
・事業資金を追加した
・事業で使うものを買った
など

入力例

●プライベートのお金から、事業用の口座に資金30万円を入金した

預金出納帳	月日	相手勘定科目	摘要	預入金額	引出金額	残
	10/06	事業主借	事業資金の入金	300,000		

ケース スタディ

消費税はどうする？

売上1000万円以下なら 消費税を納めなくてよい

ここが ツボ 売上金額だけでなく、インボイス制度との 兼ね合いも考えなくてはならない

免税と課税の分岐点は売上1000万円

　消費税は、商品の売上などにかかる税金です。税率は10％（国税7.8％ ＋地方税2.2％）です。①酒類・外食を除く飲食料品、②週2回以上発行の 新聞（定期購読契約）には8％の軽減税率（国税6.24％＋地方税1.76％） が適用されます。日々の取引では、この消費税を支払ったり受け取ったりし ています。原則として、受け取った消費税と支払った消費税を相殺して、税 務署に税額を申告、消費税を納めます。

　しかし、前々年（または前年1〜6月）の売上（消費税のかかる「課税 売上高」）が1000万円以下の事業者は「**免税事業者**」として、消費税の申告・ 納税を免除されます。申告・納税義務がある事業者を「**課税事業者**」といい ます。免税事業者は、自らの希望で課税事業者になることもできます。

インボイス制度では免税事業者は不利に

　2つの税率が併存するため、**課税事業者は請求書の発行や帳簿への記載、 税額の計算などでその区別が必要です。また、課税事業者はインボイスの発 行などが可能です**（➡22ページ）。

　免税事業者はインボイスを発行できませんが、受け取った消費税分を事業 の収入にできます。ただし、免税事業者は取引で仕入税額控除が使えず、課 税事業者との取引では不利になることがあるため、課税事業者（インボイス 発行事業者）になることも考えます。

税金キーワード **2割特例** 免税事業者がインボイス登録のために課税事業者になった場合、消費税額を受 け取った消費税の一律2割にできる特例（令和8年9月30日の属する課税期間まで）。

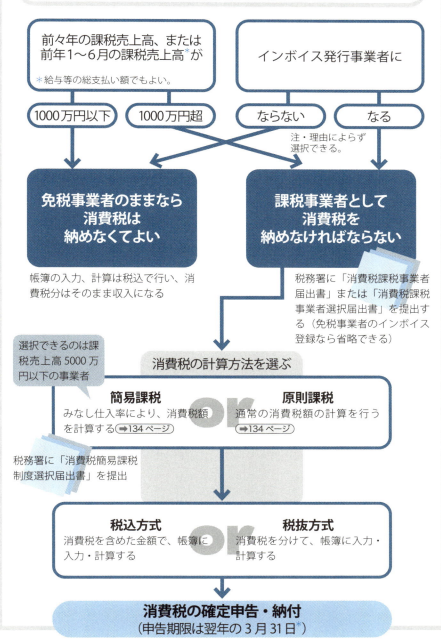

ケーススタディ

消費税の計算

経理の手間を省くなら消費税「込み」で計算する

ここがツボ 消費税の手間とソントクの検討は、税理士などプロに相談したほうがよい

消費税の計算方法（仕入税額控除）は2種類ある

　消費税を納めるときは、「**売上などで受け取った消費税額 − 仕入れなどで支払った消費税額（仕入税額控除）**」により計算します。これを「**原則課税**」といいます。1つひとつの取引について、消費税を課税する取引、しない取引を区別して合計していく必要があり、入力作業は煩雑になります。

　小規模の事業者には計算の負担が大きいので、「**簡易課税**」という簡便な方法を選ぶこともできます。消費税のかかる売上（課税売上高）に対する一定割合（みなし仕入率）で、仕入税額控除を計算する方法です（➡右ページ）。

　簡易課税を利用できるのは、前々年（基準期間）の課税売上が5000万円以下の事業者です。また、「消費税簡易課税制度選択届出書」を、適用を受けようとする年の前年の12月31日までに税務署に提出する必要があります＊。

簡易課税と原則課税、どちらが有利か

　簡易課税と原則課税では、税額が異なってきます。一般には簡易課税が有利とされますが、原則課税が有利になるケースもあります。

　実際の税額を計算してから選ぶことはできないため、事前に予想を立てて選ぶしかありません。税理士などに相談するとよいでしょう。なお、**簡易課税を選んだ場合、2年間は変更ができません。**

　また、税込で帳簿をつけて、決算時にまとめて税額を計算する「**税込方式**」と、本体価格と税を分けて記帳していく「**税抜方式**」も選ぶことができます。

税金キーワード　税務署　国税庁が管轄する、国税の確定や徴収を行う行政機関。確定申告・納税は、住んでいるところ（または事業所のあるところ）を管轄する税務署で行う。

＊令和5年10月1日から令和11年9月30日の属する課税期間に、免税事業者がインボイスの登録を受けて、その課税期間中に簡易課税を選ぶ場合は、その年から適用を受けられる。

消費税の税額はこう計算する（仕入税額控除）

通常の計算（原則課税）

注・軽減税率分（8%）は別に計算して合計する。

課税売上高にかかる消費税（相手から受け取った消費税）

（例）
課税売上高
2000万円 × 10%
= 200万円

－

課税仕入高にかかる消費税（相手に支払った消費税・仕入税額）

課税仕入高
1500万円 × 10%
= 150万円

＝

納付する消費税額（マイナスなら還付）

200万円
－ 150万円
= 50万円

簡易課税の計算

仕入税額を、課税売上高の一定割合（みなし仕入率）で計算できる

みなし仕入率は、業種によって異なる

卸売業など（第一種事業）90%　小売業など（第二種事業）80%　製造業、農林水産業など（第三種事業）70%　飲食店業など（第四種事業）60%　サービス業など（第五種事業）50%　不動産業（第六種事業）40%

農林水産業のうち、軽減税率が適用される事業は第二種事業。

上の原則課税の例を、簡易課税（小売業の場合）で計算すると

200万円
課税売上高にかかる消費税

－

160万円
課税売上高 2000万円
× 10% × 80%

＝

40万円
納付する消費税額

✓ **これも知っておこう**

消費税の申告・納税は3月末までに

　消費税は所得税と同様、税額を自分で計算する申告制です。納税の期限は3月31日。「課税期間分の消費税及び地方消費税の確定申告書」の提出と一緒に、消費税を納めます。また、前年の消費税額が48万円（地方消費税除く）を超える場合、翌年は年の途中に中間申告を行い、何回かに分けて消費税を納めます（中間納付）。

PART 5 こんなときどうする 帳簿ケーススタディ

青 色 申 告 あ れ こ れ コ ラ ム

あこがれの「法人成り」、いつ実行する?

　起業して個人事業主となった人の多くは、「いつかは会社に」という思いを持っているのではないでしょうか?　個人事業から会社への移行を「法人成り」といいますが、法人成りのタイミングは、税金の変化から考えられます。

　個人事業の税金（所得税 * ＋住民税）は累進課税、所得が多くなるほど税率も高くなります（最大55％）。一方、会社の税金（法人税＋法人住民税）は、所得金額で変わりますが約30〜40％です。所得が一定以上になると、会社のほうが、税金は得になるのです（その他、いずれも「事業税」あり）。

　こうしたことから、事業を最初から会社にする人もいます。ただし、会社にするとデメリットもあります。あわてず、事業が軌道に乗って、利益がコンスタントに増えてきたら、税理士などに相談してみましょう。

＊復興特別所得税が上乗せ。

会社のメリット・デメリット

メリット
- ○取引先や金融機関からの信用度が高い
- ○経営者に給与（役員報酬）を払える（給与所得控除が使える）
- ○節税効果が高い（一定以上の所得なら個人よりも税率が低くなる。赤字を10年間繰り越しできるなど）

デメリット
- ●会社設立時や、役員変更のつど登記が必要になり、手間と費用がかかる。また、会社では事務手続きが何かと多くなる
- ●赤字でも税金がかかる（市県民税の均等割。資本金1000万円以下の会社で年7万円など）

PART 6

個人事業主の最大の節税ポイント

必要経費になるもの
ならないもの

必要経費の範囲

事業にかかわるものはすべて必要経費にできる

ここがツボ 帳簿に入力する内容の大半は必要経費。
作業の迷いをなくすため、ルールをはっきりさせておこう

必要経費の勘定科目は考えすぎない

　帳簿の入力作業の多くは、**必要経費**にかかわるものでしょう。必要経費とは「**収入（売上）を得るために必要となるお金**」のことです。仕入れや人件費が最も大きなものですが、仕事で使う文房具から、取引先との飲食代、交通費や税金など、さまざまなものを含みます。

　必要経費を帳簿につけるときには、「どの勘定科目を使えばよいのだろう」と迷うことがあるでしょう。基本的な知識は必要ですが、勘定科目の選択の細かな区分は、自分で決めてかまいません。「消耗品費」を選んでも「事務用品費」を選んでも、税額に影響はないため、税務署に指摘されることはないでしょう。ただし、「この場合はこの勘定科目」とルールを決めていないと、帳簿が不正確なものになってしまいます。

事業とのかかわりがあれば経費になる

　必要経費がたくさんあれば、その分税金を少なくできます。そのため、個人事業主は「これは必要経費に入れられるだろうか」と頭を悩ませます。

　ポイントは「**事業にかかわる出費かどうか**」です。税務署に事業との関連をきちんと説明できるなら OK です。

　もっとも、金額が常識の範囲内かどうかもチェックされます。業種ごとに「普通はこれくらい」という「**経費率**」があり、それより大幅に多いなら、こまかく調べられることになるでしょう。

税金キーワード **節税** 　納める税金を法律の範囲内で少なく抑えること。所得控除の活用や、必要経費をしっかり計上するなど。個人事業主の「青色申告」選択も節税の1つといえる。

必要経費は、節税の最大のポイント！

―― 1年間の売上 ――

| その他、事業のためにかかった費用 | 仕入れなどにかかった費用（売上原価） | 1年間の儲け（事業所得） |

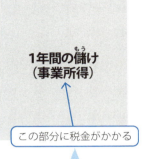

この部分に税金がかかる

必要経費
売上から差し引くことができる売上原価以外のものとして…

必要経費がたくさんあるほど、税金が軽くなる。
それぞれ勘定科目ごとに分類して、こまめに帳簿に入力していこう

仕事で使う文房具　コピー用紙などの消耗品　パソコンやその周辺機器
コピーやファックス　事業用の自動車　仕事のための交通費
接待や打ち合わせの飲食代　事務所や店舗の家賃　などさまざま

基本　事業にかかわる出費はすべて必要経費になる。プライベートの出費は必要経費にならない

PART 6　必要経費になるもの　ならないもの

自宅が仕事場の家賃

仕事に使う 床面積分が経費になる

ここがツボ 事務所や店舗の家賃の勘定科目は「地代家賃」

敷金以外の賃貸費用は、経費として計上できる

店舗や事務所を借りるとき、家賃や共益費、敷金・礼金、仲介手数料などが発生します。家賃や共益費は事業用ならすべて必要経費、勘定科目は「**地代家賃**」で計上します。また、仲介手数料は「**支払手数料**」とします。

礼金は、20万円未満なら地代家賃として一括経費にできますが、20万円以上なら償却の対象となり、賃貸する期間か5年で償却します（勘定科目は「**繰延資産**」）。敷金は戻ってくるお金のため経費にできず、解約するまで資産とします（勘定科目「**敷金**」で入力）。

自宅兼用なら、仕事場と合理的な線引きをする

自宅と仕事場を兼用している場合は、**仕事で使っている床面積分を、必要経費として計上できます（按分）**。2LDK・50㎡のうち、ひと部屋（15㎡）が仕事用なら、30%分を経費にできます。家賃9万円なら2.7万円分。共益費なども按分できます。事業部分を「地代家賃」で経費にします。

計算上28%など半端な数字が出た場合は、切り上げて30%としてもよいでしょう。キッチン、トイレなども使用割合で按分してかまいません。

分け方のポイントは「合理的に説明できるかどうか」です。税務署に対して、按分の根拠をきちんと説明できればOKです。

親の持ち家に住んで事業を行っている場合、**親に家賃を支払っても原則経費にできません**。同じ家計でお金が動いているだけとされるためです。

税金キーワード **相続税** 亡くなった人の財産の移転に対してかかる税金。基礎控除として、課税価格から「3000万円＋（法定相続人の数×600万円）」を差し引くことができる。

事務所や店舗は、経費となる範囲を確認しておく

事務所や店舗を借りた

家賃、共益費 ………… 経費になる ○
（勘定科目は「地代家賃」）

敷金 ………………… 経費にならない ×
（勘定科目は「敷金」）

礼金 …………………… 経費になる ○
ただし、20万円未満なら一括経費だが、
20万円以上なら減価償却の対象になる
（勘定科目は「繰延資産」）

仲介手数料 ………… 経費になる ○
（勘定科目は「支払手数料」）

自宅（賃貸）の一部を事業用にした

家賃、共益費

| 1か月の家賃、共益費×事業用床面積の割合 | 経費になる ○ |

POINT
事業用口座から家賃引き落としなら自宅の割合を「事業主貸」、個人の口座から引き落としなら事業用の割合を「事業主借」として振替伝票に入力する ➡143ページ

PART6 必要経費になるもの ならないもの

✓ これも知っておこう
自宅（持ち家）のローンの元本は、経費にできない

持ち家で事業をする場合、返済中の住宅ローンの元本以外は経費にできます（右表参照）。いずれも、賃貸と同じように事業用部分のみです。

なお、住宅ローン控除を受けている場合、事業用割合が床面積の1/2を超えると、適用を受けられなくなるので注意を。

持ち家で必要経費にできるもの（事業用部分のみ）
家屋の減価償却費
住宅ローンの金利　火災保険料
管理費　修繕積立金
固定資産税　　　　　　　　　　など

自宅が仕事場の電気代や電話代

仕事で使った割合を明確にすることが必要

> **ここが ツボ** 電話代の勘定科目は「通信費」、水道や電気代は「水道光熱費」

按分の基準は自分で決める

　自宅兼仕事場の場合、**水道代や電気代、電話代なども按分できます。**按分の割合は、事業の内容によって判断します。電話料金にしても、終日パソコンに向かう仕事と、電話で営業などを行う仕事では、按分の割合が違うのは当然です。実態に合わせて決めなければなりません。

　按分を決めるときの「ものさし」は、右ページを参考にしてください。家賃同様、税務署から説明を求められたとき、根拠などをきちんと説明できることが大切です。

会計ソフトなら、最初に按分割合を設定するだけで OK

　前ページの家賃などを含め、自宅と事業で重なるお金を「**家事関連費**」といいます。家事関連費を帳簿につけるときは、130ページで解説した勘定科目「**事業主借**」「**事業主貸**」を使います。

　ほとんどの場合、水道代や電気代、電話代などは、口座からの引き落としになっていると思います。その口座が事業用なら、振替伝票で右ページのように仕訳します。口座がプライベート用なら、「事業主借」を使って、事業用の按分金額を入力します。

　簡単な方法として、事業用の口座で毎月全額を処理しておき、**決算時に、1年間のプライベート分を、按分して差し引く方法もあります。**多くの会計ソフトには、按分の割合を設定しておけば、自動で計算する機能があります。

税金キーワード　**贈与税**　年間110万円を超える財産などを、個人から無償でもらった場合にかかる税金。自分で保険料を払っていない生命保険などの満期保険金の受け取りも、贈与に当たる。

自宅と兼用の費用、分け方のポイント

自宅兼仕事場の電話料金、ガス代、水道代、電気代などは

事業で使っている分は……………… **経費になる**

プライベートで使っている分は… **経費にならない**

事業で使っている分はここに注目して算出する

電気代
・使用時間
・電気用品の数
・床面積　など

電話料金
・使用時間

ガス代、水道代
・使用時間
・使用回数　など

POINT
根拠のある割合なら OK。
厳密である必要はない

入力例
● 電気代2万円が、事業用の口座から引き落とされた（事業用50%、自宅用50%）

振替伝票

借方		貸方		摘要
勘定科目	金額	勘定科目	金額	
水道光熱費	10,000	普通預金	20,000	5月分電気代
事業主貸	10,000			5月分電気代（家事使用分）
借方合計	20,000	貸方合計	20,000	

PART 6　必要経費になるもの　ならないもの

支払った税金

消費税や固定資産税なら経費にできる

ここがツボ 必要経費になる場合、税金の勘定科目は「租税公課」でまとめる

納めた税金のなかに経費が埋もれている

事業を始めると、何かとかかってくる税金に敏感になるものです。消費税をはじめ、事業税、固定資産税、自動車税、印紙税、登録免許税などなど。国民の義務とはいえ、どうにか減らせないだろうかと思うことでしょう。

税金でも、**事業にかかわるものであれば、必要経費にできます**。所得税は、個人に対する税金ととらえるため、経費にはできません。具体的には、右ページのように区別されます。税金を必要経費として帳簿に入力するときは、いずれの税金も「**租税公課**」という勘定科目を使います。

事業とプライベート両方にかかわる税金は按分する

税金も、個人と事業の両方にかかっているものがあります。たとえば、自宅兼用のマンションの固定資産税や車の自動車税などです。これらの税金は、電気代などと同じように、**按分することで、事業用の割合を必要経費にできます**。

また、今年の必要経費にできるのは、その年に納付額が決定したものです。納付額が決まっていれば、実際の納付は翌年になってもかまいません。

都道府県などから納付通知書が送られてくる自動車税や事業税も、その年度の確定額です。また、固定資産税のように納期が数回に分けられているものは、納期の開始日、実際に納付した日、いずれの年の必要経費にしてもかまいません。

税金キーワード **退職所得** 会社などをやめる際に受け取る一時金（退職金）による所得。退職金から、勤続年数などによる退職所得控除を差し引いた金額の 1/2 に課税される（原則）。

144

必要経費になる税金、ならない税金

事業に対してかかる税金

固定資産税	自動車税（種別割、環境性能割）
自動車重量税	不動産取得税	登録免許税
事業税	事業所税	印紙税	消費税

経費になる ↓

租税公課　現金出納帳や預金出納帳などに入力する

POINT
プライベート用が含まれる、固定資産税など不動産関連の税金や自動車関連の税金は按分が必要。事業用の部分のみが必要経費となる

個人に対してかかる税金など

所得税 （＋復興特別所得税）	住民税	相続税	贈与税
加算税や延滞税 ➡69ページ		交通反則金などの罰金	

経費にならない ↓

事業用の口座や事業用の現金から納める場合は、「事業主貸」として、現金出納帳、預金出納帳などに入力する

しっかり区別して経費を増やそう

PART6 必要経費になるもの ならないもの

郵便代や荷造代

商品の発送に関するものは「荷造運賃」にまとめる

ここがツボ 商品の発送なら「荷造運賃」、それ以外なら「通信費」に入れる

売上にかかわる出費かどうかで判断する

　取引先に商品を発送するときの運送料は「荷造運賃」という勘定科目を使います。郵便小包や宅配便などの運送料（運賃）だけでなく、ガムテープやひも、段ボールやなかに詰める緩衝材などの梱包費用も含まれます。

　ただし、備品として、応接セットなどを購入したときに負担した配送料は、荷造運賃ではありません。この場合は、固定資産の取得金額に含めて、減価償却により処理します。また、仕入れの際に配送料を負担したときは、仕入代金に含めます（➡右ページコラム）。消耗品の配送料も、同様に取得金額に含めてかまいません。荷造運賃を使うのは、**売上のために事業主が負担する運送料に限定します。**

書類送付などの送料は通信費とする

　請求書や契約書などを送付するときにも、切手代や郵送料などがかかります。宅配便やバイク便を使うこともあります。しかし、これらは荷造運賃ではなく「通信費」とします。売上とは直接関係ないからです。通信費の仲間には、携帯電話や固定電話、インターネットのプロバイダー料などがあります。

　ただし、こうした区別は原則です。**商品発送などがあまりない業種なら、どちらも通信費としてまとめても問題はありません。**

　帳簿は、現金で支払うときは現金出納帳で、携帯電話代などのように、口座から引き落とされるものは預金出納帳で処理します。

税金キーワード | **タックスアンサー**　国税庁が運営する、税に関するインターネット上の税務相談室。税金別、ケース別に税金に対する疑問を調べることができる（国税庁ホームページからアクセス）。

荷造運賃と通信費、すっきり区別しよう

荷造運賃

商品売上時の荷造りや発送にかかる費用

荷造り…段ボール箱、包装紙、組みひも、ガムテープなど
発送…郵便小包代、宅配便、鉄道や航空機の運賃など

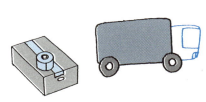

通信費

商品売上に関係のないやりとりにかかる費用

切手代、ハガキ代、(商品発送以外の)宅配便、バイク便、電話代、インターネット接続料など

POINT

区分けの目的は、どんな経費がどれだけかかっているか知ること。迷うものは、自分で分け方のルールを決めてしまえばよい。商品を多く扱わない業種なら、通信費や消耗品費で一本化してもかまわない

✓ これも知っておこう
仕入れた商品にかかる運送費は、仕入金額と合計する

商品を仕入れるときに、運送料などを負担することがあります。荷造運賃と混同しがちですが、この場合の配送料は、仕入金額の一部として合計し、別に勘定科目を立てる必要はありません。仕入れにかかわる運送料は、「仕入高」として処理することになります。

仕入高には、運送料の他、運送時の保険料、購入の際にかかった手数料、関税などの諸費用も含めることになります。

交通費

「交通費精算書」につけて月末にまとめる

ここがツボ 精算書があれば、帳簿には合計額の入力でかまわない

交通費は楽な方法で入力しよう

仕事のために、電車やバス、タクシーなど、さまざまな交通機関を利用するでしょう。これらの交通費は必要経費です。「**旅費交通費**」という勘定科目でまとめます。短い移動の電車賃やバス代など、領収書のない交通費は、「仕事で使った」ことを証明するために、日付、利用区間、金額、訪問先をはっきり記録しておきます。

交通費は毎日のように発生するでしょうから、そのつど帳簿に入力するのは面倒です。そこで、交通費は一定期間（1週間、1か月など）単位で交通費精算書につけておき、**一定期間ごとに事業のお金と精算することにすれば、帳簿入力の回数を減らせます。**

最近では、SuicaやPASMOといった交通系ICカードなどで、交通費を支払うことも多いでしょう。こうしたカードは、駅の売店などで、交通費以外に使える場合もあるため、交通費との区別が必要です。自動券売機で使用明細をプリントアウトして、振り分けるようにしましょう。

出張手当をつけられるのは従業員だけ

遠方へ出張する際、交通費など実費以外に、出張手当を支給することがあります。出張手当は必要経費となります。しかし、**個人事業主本人には出張手当が認められません**（必要経費とならない）。交通費や宿泊費などの実費のみ、旅費交通費として必要経費にできます。

税金キーワード **立替金** 相手が支払うべきお金を、一時的に支払うこと。取引先が支払う約束の運送費をとりあえず支払う場合など。帳簿では「立替金」を立てておき、精算後になくす処理をする。

交通費精算書の書き方の例

交通費精算書は文房具店などで市販されているものの他、自作してもかまわない

6月分交通費精算書

月日	行き先（目的）	利用路線等	利用区間等	往/復	金額
06/01	○×社（打ち合わせ）	東京メトロ	渋谷—半蔵門	往復	356
06/05	△△社（営業）	JR東日本	渋谷—浜松町	往復	416
06/06		通勤定期券（6か月）	明大前—渋谷		32,350
06/10	○○ホテル（□□会合）	東京メトロ	渋谷—銀座	往復	418
06/11	□□社（納品）	タクシー	渋谷—青山	往	1,200
06/12	○△センター（資材購入のため）	自家用車	駐車場代		500
合計					65,688

定期券や回数券は購入時点で入力する（領収書はとっておくこと）

タクシーは領収書をもらって添付する。領収書をもらったら、用件や経路などメモしておこう

マイカーで移動した場合の駐車料金やガソリン代も入れてよい

月に一度、現金出納帳に合計額を入力しよう

現金出納帳

月日	伝票番号	相手勘定科目	摘要	収入	支出	残
06/30	333	旅費交通費	6月分旅費交通費精算		65,688	

注・インボイス発行事業者は、交通費などの必要経費について、インボイスの要不要や少額特例適用の確認が必要（→75ページ）。

事業にかかわる飲食代など

接待交際費は
相手によって扱いが変わる

ここが ツボ プライベートの飲食代などが、混ざらないよう注意

お中元やお歳暮も経費になる

行きつけの店でお酒を飲むとき、取引先の人と一緒なら「接待交際費」として必要経費にできます。取引を円滑に行うためのコミュニケーション手段とされるためです。取引先へのお中元・お歳暮、手みやげ、取引先を招待した慰安旅行やゴルフコンペ、取引先への慶弔金も OK です。慶弔金は領収書がなくても認められます（出金伝票にしておくとよい➡76ページ）。

なお、従業員との飲食費も必要経費となります。ただし、勘定科目は福利厚生費として区別します。社員旅行やボウリングなどのレクリエーションにかかる費用（社員旅行の場合、4泊5日以内、従業員の半数以上が参加など）、残業時に出す食事なども OK です。

仕事とのかかわりをはっきりさせておく

法人の場合、接待交際費には上限などがありますが、個人事業主なら全額経費にできます。

ただし、接待交際費の範囲は広く、税務署の注意を引きやすい項目なので、業務との関連を証明できるようにしておくことが大切です。領収書をもらったら、接待先の会社名、氏名、人数、目的などをメモしておきます（プライベートの領収書が混ざることも防げる）。帳簿の「摘要」には、相手の名称と人数などを、できるだけ詳細に入力しておきます。また、招待状などがあれば保存しておくとよいでしょう。

税金キーワード **地方税** 都道府県、市区町村が課税する税金。住民税（個人、法人）、固定資産税、事業税、自動車税、ゴルフ場利用税、入湯税など。地方により税率が異なる場合がある。

150

取引先なら「接待交際費」、従業員なら「福利厚生費」

取引先が相手の

飲食代、接待ゴルフ、
接待に伴うタクシー代、手みやげ代、
お中元、お歳暮、お年賀、慶弔費、
忘年会や新年会、
接待旅行の旅費や宿泊費用、
紹介料

↓

接待交際費
全額必要経費になる

POINT
取引先の名称や支払いの目的をはっきりさせておくこと

従業員が相手の

社員旅行（4泊5日以内）、
忘年会（一次会まで）、
新年会、慶弔費、制服、
残業時の夜食、健康診断費用など

その他、法定福利費
（健康保険、厚生年金、雇用保険の保険料など）

↓

福利厚生費
全額必要経費になる

POINT
特定の従業員だけに与えるものは×（給与となる）
事業主だけ、専従者（家族従業員）だけの慰安旅行や飲食は×（家事消費になる）

PART 6 必要経費になるもの ならないもの

プラスアルファの知識

広告宣伝費は「30万円ライン」に注意

　名刺やポスター、チラシ、パンフレット、あいさつ回りのタオル、景品、求人広告の掲載料などは「広告宣伝費」として、全額経費として計上できます。ただし、看板やネオンサインなど、1つ（1組）30万円以上＊（白色申告なら10万円以上）で、1年以上使うものは、減価償却の対象となります。パンフレットなどは、部数などによっては30万円を超えますが、これは一括経費です。

＊令和8年3月まで。

事務所などの修繕費用

大きな修繕は
減価償却の対象になることも

ここが ツボ 壊れたものを直すなら「修繕費」、改良するなら「資本的支出」が基本

備品などのメンテナンスや修理代は経費になる

パソコンやコピー機、車や店舗の内装・設備など、事業で使う資産を長く使用するためには、定期的な点検や部品の交換、故障や破損時の修理が必要です。これらの費用は「**修繕費**」として、必要経費に計上できます（カーペットの張り替えや窓ガラスの取り換え、机やいすの修理など、消耗品扱いのものの修繕も含めてもよい）。

修繕費となるのは、定期的な保守・点検費用や、修繕によってその資産を元通りにするための支出です。その他、賃貸の事務所などを退去する際の、原状回復費用も含みます。金額の目安としては**20万円未満、また、3年以内の周期で定期的に行っている修繕**などが対象です。

価値を高める修繕は、減価償却の対象になる

修繕、改修などの結果、その物の価値が高まったり、使用期間が長くなる場合、修繕費ではなく「**資本的支出**」とみなされ、一度に経費にできません。たとえば、店舗の大規模な改装や、コピー機の部品をオプション機能のあるものに変更した、などです。

資本的支出は「資産の価値が高まった」と考え、**かかった費用を取得価額にプラスして、減価償却していくことになります。**

修繕費か資本的支出か判断に苦しむ場合は、支出金額が60万円未満の場合、または取得価額の10%以下なら、修繕費にできます。

税金キーワード **直接税・間接税** 納税義務者が直接納める税金を直接税、納税義務者と税金を納める人が異なる税金を間接税という。前者は所得税、後者は消費税が代表例。

修繕費と資本的支出の違いを知っておこう

事業にかかわる修理や点検

パソコンの保守管理、自動車の部品交換、事務所の定期点検・修繕（窓ガラスの修理、壁の塗り替え、カーペットの張り替えなど）、事務所退去時の原状回復費用、自宅を仕事用にリフォーム

→ **修繕費** 全額経費になる

POINT
「通常の維持管理」の目安
3年以内の周期の修繕、または金額が20万円未満

（吹き出し：鉄製のドアに変えたら資本的支出？）

資産の改修などにより

耐用年数を延ばす、新たな機能を加える（例・建物に非常階段をつける）、用途を変更するなど、資産の価値を高める場合

→ **資本的支出** 減価償却（→34ページ）の対象になる

POINT
修繕費か資本的支出か判断が難しいとき
支出金額が60万円未満、または取得価額の10%以下なら修繕費とする

資本的支出の金額分を、新たな資産として固定資産台帳に入力する。このとき、もとの固定資産の内容は変更しない（原則）

PART 6 必要経費になるもの ならないもの

プラスアルファの知識
損害保険料も経費になる

　事業に必要な火災保険や盗難保険、自動車保険などは「損害保険料」として経費となります。ただし、自宅兼仕事場の火災保険などは、按分する必要があります。複数年の契約で、一括して保険料を支払った場合は、その年分を算出して今年の経費とします。残りは資産として「前払保険料」の勘定科目を立て、1年ずつ経費にしていきます。

備品の購入

備品はすべて「消耗品費」でまとめる手もある

ここがツボ 備品の代表的な勘定科目は「消耗品費」

消耗品費はどこからどこまで?

　文房具ばかりが「消耗品費」ではありません。右ページにあるように、事業にかかわるこまごました費用が、広範囲に含まれます。基準は「**使用可能期間が1年未満であること、または、取得価額が30万円未満*（白色申告なら10万円未満）であること**」です。机やいす、パソコンなどは、金額により固定資産と消耗品に分かれることになります。

　消耗品となるか固定資産となるかを、金額で判定する際は、次のポイントに注意します。

①購入時に支払った配送料や購入手数料も、購入金額に含める

②消費税は、税込処理を選んでいるなら、税込の金額で考える

③セットにして使うものは、すべての合計金額で考える

消耗品費でまとめるか、いくつかに分けるか

　消耗品費を「**事務用品費**」など、いくつかに細分化することもあります。しかし、こうした区分に事業上の必要性がある場合を除き（パソコン関連の出費を把握しておきたいなど）、**消耗品費に一本化しておけば、勘定科目選びで迷わずにすみます。**

　いずれにせよ、他の必要経費と同様、領収書をきちんと受け取り、事業用とプライベート用を区別することが大切です。また、文房具などは、通販などでまとめて購入すれば、通帳に記録が残り、入力の手間を減らせます。

税金キーワード **月次決算**　年に一度の決算を月に一度行うこと。年に一度の決算は税金計算が大きな目的だが、月次決算は、よりこまかく経営状態を把握するために行われる。

154　＊令和8年3月まで。

消耗品かどうかは、まず金額で考える

事業で日々使用するさまざまなもの

消耗品費
- 電池、電球、蛍光灯、写真のプリント代、CD、コピーの代金、パソコンソフト
- テレビ、ラジオ、デジタルカメラ、パソコン本体・周辺機器、ファックス、掃除機、扇風機、エアコン
- 机、いす、カーテン、時計、棚 など

事務用品費
ボールペン、ノート、クリップ、セロハンテープ、電卓、ハサミ、コピー用紙、インクカートリッジ、書類ケース など

「消耗品費」に統一してもよい

消耗品費の基準
①取得価額が30万円未満（白色申告なら10万円未満）
②使用可能期間が1年未満

この条件を超えるものは「固定資産」となり減価償却の対象となる（→34ページ）

プラスアルファの知識

どの勘定科目にも当てはまらないなら「雑費」に入れる

　時折、どの科目にも当てはまらない支出が生じることがあります。事務所の引っ越し費用や不用品の処理費用などです。このような場合は「雑費」として計上します。ただし、その費用がその後も繰り返し出るとき、また高額である場合は、新規の勘定科目を立てて、内容を明らかにしたほうがよいでしょう。

青 色 申 告 あ れ こ れ コ ラ ム

事業のスタートは、手ぬかりなく行おう

　開業の準備にかかったお金は、「開業費」として必要経費になります。開業年に、合計額を一括して必要経費にするほか、「繰延資産」として、分割して償却もできます（➡161 ページコラム）。

　プライベートの財布から出たお金なので、借方に「開業費」、貸方に「事業主借」の勘定科目を使って、振替伝票から入力します。

　開業費は、名刺や開業案内のチラシの作成、仕事に使う物品や資料の購入、調査費、接待や移動にかかった交通費の他、開業前にかかったオフィスの賃貸料や水道光熱費も含められます。

　なお、開業前に買っても、1 年以上使用する 30 万円以上（青色申告の場合）の物品は、開業費ではなく固定資産とします。開業日は「個人事業の開業・廃業等届出書」（➡46 ページ）に記入した日です。

　また、会社をやめて事業を始める人は、下表のポイントを確認しておきましょう。

退職したときの必須チェックポイント

☐ 給与や退職金の源泉徴収票をもらったか
開業初年度は、これらの所得と事業所得を合わせて、確定申告することになる

☐ 国民年金に加入したか
退職翌日から 14 日以内に、住んでいる市区町村で手続きする（配偶者を扶養していれば、配偶者の加入手続きも必要）

☐ 国民健康保険などに加入したか
当初 2 年間は、会社の健康保険に引き続き加入もできる（任意継続）。国民健康保険への加入は、退職翌日から 14 日以内に、住んでいる市区町村で手続きする

PART 7

青色申告決算書と確定申告書を出そう

1年間のソントクの総まとめ
決算・確定申告

決算・申告の流れ

帳簿のもれやミスを見逃さない

ここがツボ 残高試算表などを活用して、1年間の取引を総チェックしよう

決算は1年間の事業の締めくくり

　個人事業主の「事業年度」は、1月1日から12月31日と決められています。この事業年度の成果をとりまとめるのが「決算」です。

　具体的には、「**青色申告決算書（損益計算書＋貸借対照表）**」を作成することになります。青色申告決算書のベースとなるのは、1年間つけてきた毎日の帳簿です。まず、それぞれの帳簿に間違いがないかをチェック、今年の売上に入れるもの、翌年に入れるものを整理、年末に残った在庫を帳簿に反映させるなどの作業をして、金額を調整します。

　この作業を「**決算整理**」といいます。決算整理には、右ページのような項目があります。決算整理で行う特別な作業については、160ページから解説します。

残高試算表で記入ミスをチェック

　青色申告決算書づくりの前には、すべての帳簿を集計・仕訳して、勘定科目ごとに並べた「**残高試算表**」を確認するとよいでしょう。実際に出力して、それぞれの勘定科目の残高に不自然なところがないか、最終確認するのです。仕訳の知識があれば、借方、貸方の金額を突き合わせて、より細かなチェックができるでしょう。

　青色申告決算書が完成したら、「**確定申告書**」で納税額を算出、3月15日（土日の関係で年により1～2日遅くなる）までに、併せて税務署に提出します。

税金キーワード　**手当**　一般に、従業員に対して、給料（基本給）や賞与以外に支払うお金。扶養手当、住居手当、資格手当、役職手当、残業手当、出張手当など。

決算・申告作業は手早く終わらせよう

12月 / 1月

決算整理を始める

- 帳簿の記帳もれやミスをチェックする
- 棚卸を行う（➡162ページ）
- プライベートとのやりとりの整理
  （家事消費分、家事費の按分など）（➡160ページ）
- 年をまたぐ売掛金、買掛金、前受金、前払金、未払金の処理
  （➡160ページ）
- 今年分の減価償却費を計上する（➡166ページ）

帳簿を締め切って集計する

- 各項目を残高試算表で最終チェック

2月

青色申告決算書の作成（➡168ページ）

確定申告書の作成（➡178ページ）

税務署へ提出

期限厳守！

3月

税金の納付

注・消費税の課税事業者は、決算整理で消費税の集計を行い、所得税の申告の後、3月31日までに消費税の申告・納付を行う。

作業の時期は目安。期限ぎりぎりの申告は混み合うので、なるべく早く終わらせたい

帳簿の記入もれやミスはここをチェック

- ☐ 領収書や請求書との食い違いがないか
- ☐ 入力していない領収書がないか
- ☐ 現金出納帳と預金出納帳で、二重払いになっている項目がないか
- ☐ 現金出納帳にマイナスが出ていないか
- ☐ 預金出納帳の残高が、通帳の残高と合っているか
- ☐ プライベートな支払いや入金がまじっていないか
- ☐ 按分が必要な内容がもれていないか（全額を計上していないか）
- ☐ 見覚えのない勘定科目がないか（科目の選択を間違えていないか）
- ☐ 前年と比べて、不自然に多かったり少なかったりする勘定科目がないか

決算整理…年をまたぐお金

今年の収入に入れるもの、翌年の収入にするものを分ける

ここが
ツボ
複式簿記の考え方にしたがい、1つひとつ振り分けていこう

どこからどこまでが今年のお金？

　決算では、事業活動を1月から12月で区切って、1年間のお金の出入りをまとめます。しかし、事業はその年だけで完結するわけではないので、どう扱うか迷うものが出てきます。

　たとえば、12月に商品を納めて、翌年支払われる売掛金は、今年の売上になるのでしょうか？　こうした場合、複式簿記の帳簿つけでは、商品を納品した時点で売上とします。買掛金も同様に納品を受けた時点で区切って、今年の仕入れと翌年の仕入れに線を引きます。

　その他、売上や仕入れ以外の入出金についても、右ページのように**今年分と翌年分に振り分けます。**「決算整理」の大切な手順の1つです。

貸倒引当金やプライベート使用の按分を再チェック

　青色申告の特典として、年末の貸金（売掛金や貸付金など）の貸し倒れに備えるため、貸金の年末残高の5.5％を、**貸倒引当金**（➡32ページ）として、必要経費にできます。なお、翌年に貸し倒れとならなかった（無事回収された）場合、「**貸倒引当金の戻入**」により、貸倒引当金をなくす処理をします。

　注意したいのは、プライベートと事業で兼用となっている費用です。140〜143ページで、事業とプライベートの按分について解説しましたが、**電気代、電話代、水道代、車両関連費用など、按分がもれているものはないですか？**　ここで分けておけば問題ないので、忘れずチェックしましょう。

税金キーワード　摘要　帳簿の金額についての、取引内容（支払いや入金の相手、目的、用途など）のこと。記入内容にルールはないが、取引の概略がわかる程度の情報が必要。

今年の売上、経費は、ここまで入れる

	今年（今期）		翌年（来期）	
	11月 / 12月		1月 / 2月	
売掛金	納品した、作業完了など	入金予定		今年の売上に入れる
買掛金	納品を受けた、作業完了など	支払い予定		今年の仕入れに入れる
前受金（手付金）	入金した	納品、作業完了予定		今年の売上に入れない
前払金	支払った	サービスなどを受ける予定（例・1月分の家賃など）		今年の経費に入れない
未払金	サービスなどを受けた	支払い予定（例・12月分の電気代など）		今年の経費に入れる

注・消費税の課税事業者は、消費税についても今期と来期の振り分けを行う。

プラスアルファの知識
開業にかかったお金は、5年かけて償却できる

　開業準備に使ったお金（開業費➡156ページ）も、きちんと経費として計上しましょう。「繰延資産」という勘定科目を使います。5年で均等に償却する方法（均等償却）と、自分で償却期間と償却額を自由に決められる方法（任意償却）のいずれかを選べます。任意償却なら、開業初年度に一括で経費にしてもかまいません。

PART 7　1年間のソントクの総まとめ　決算・確定申告

決算整理…棚卸資産

年末に残った在庫の数を確認する

ここがツボ 手元にある商品などは事業の財産。
年に一度、お金に換算して価値をはかっておく

「棚卸資産」をもりこみ、正しく所得を割り出す

今年仕入れた商品が、今年すべて売れるとは限りません。年末には、まだ売れていない商品があるものです。決算では、今年1年間の取引の結果、手元にある商品（在庫）の数量を確認します。これが「棚卸」です。棚卸により、在庫を金額に換算したものが「棚卸資産」です。棚卸資産は、翌年以降の取引で売上になるものですから、今年の必要経費にはできません。

1年間の売上を得るためにかかった「売上原価」は、年初にあった商品と今年仕入れた商品の金額を合計し、年末の棚卸資産（期末在庫）の金額を差し引いて計算します（➡ 右ページ）。

地道に数えて数量を確認する

棚卸では、**原則として、1つひとつ実際に商品の数を数えます**（「**実地棚卸**」）。確認時には、数量の他、品名や型番、商品の状態（傷や汚れなど）をメモして、最終的に一覧表（「**棚卸表**」）を作成します。

また、2枚1組の「棚卸票」をつくり、商品内容を記入＊して、1枚を現物に貼り、もう1枚を集計用とする（二重計上を防ぐため）方法もあります。

棚卸資産の金額には、破損や傷など商品の状態（販売可能かどうか）なども加味します。この棚卸表と帳簿と照らし合わせ、帳簿を修正します。なお、**棚卸表は7年間の保存義務があります。**

＊品名、型番、数量、状態（良、不良など）、また記入者の氏名も書く。

税金キーワード **天引き** 支払いを行う際、あらかじめ税金などを差し引いておくこと。給与の源泉徴収、住民税の特別徴収など。

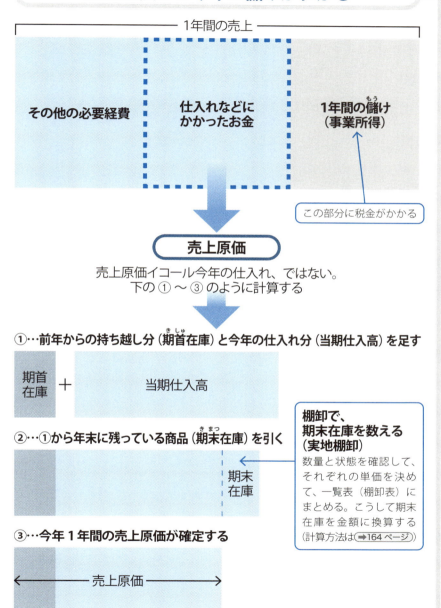

税務署

棚卸資産の計算

青色申告だけが使える
有利な在庫の計算法がある

ここが ツボ 棚卸資産の計算法は
「金額を抑えられる」「手間が少ない」という観点で選ぶ

棚卸資産の計算は自分で選ぶことができる

棚卸資産の金額は「数量×単価」で決まりますが、仕入れの金額は常に同じとは限りません。1つひとつの商品について、いついくらで仕入れて、それがいついくらで売れたか、個別に管理するのは困難です。そのため、棚卸資産の計算には、**複数の計算方法が用意され、適した方法を選ぶことができます。**主なものだけでも、右ページのような種類があります。

計算方法をどれにするか決めたら、**税務署に届け出が必要です。**届け出をしなかった場合は、自動的に「**最終仕入原価法**」を採用することになります。

青色申告なら「低価法」を選ぶこともできます。他の方法で算出した額と年度末時点の時価とを比較して、低いほうの額を棚卸資産として計上できるしくみです。163ページの計算式でわかるように、棚卸資産の金額が低ければ、それだけ売上原価は大きくなります。その分、税金のかかる儲け（事業所得）を抑えられるのです。

傷んだ商品は評価額を下げて計算する

傷んだり、破損した商品には注意が必要です。もはや通常の金額では売れないので、「**処分可能価額**（実際に売ることができる金額）」により、金額を調整します。季節商品や、新製品の登場にともなう型落ち商品なども、評価額を下げることができます。ただし、適切な処分可能価額は、税理士などの専門家や税務署に、事前に相談して決めたほうがよいでしょう。

税金キーワード **登録免許税** 不動産を取得する際に、所有権の移転などのために不動産登記を行う。この登記に対してかかる税金。税率は登記内容により異なる。事業用なら経費となる。

164

棚卸資産の計算方法はさまざま

棚卸資産＝年末に残った在庫の数量×単価
数量や単価の考え方により、計算方法を選べる

最も簡単

原価法

最終仕入原価法 ……… 今年の最後の仕入単価で計算する

総平均法 …………… 今年の仕入れの合計金額を、合計数量で割った金額を単価にする

移動平均法 ………… 仕入れごとに、新しいものと在庫の平均単価を出して計算する

単純平均法 ………… 今年のそれぞれ異なる仕入単価を合計して、その平均を単価とする

個別法 ……………… それぞれ、実際の仕入単価で計算する

青色申告なら

⬇

上記の原価法による金額と、年末の時価による金額を比べて、低いほうを評価額にできる（低価法）

POINT
計算方法は、事業開始年分の翌年の3月15日までに届け出が必要（その後変更はできる）。届け出をしなかった場合は、最終仕入原価法で計算する

これも知っておこう
商品を扱わない業種の在庫とは？

建設業やWebデザイナーなど、商品を扱わない業種にも、在庫と同様に扱うものがあります。現在進行中の仕事で、売上は翌年以降になる場合の人件費や外注費です。これらの費用は「仕掛品」といい、在庫と同じ扱いをします（製造業などでは生産ライン上で製造途中のものを指す）。

この仕掛品の計算では、上図のうち個別法を採用します。

決算整理…減価償却費

今年の決算に入れる 減価償却費を確認する

ここが ツボ パソコンや家具などの備品は、固定資産かどうかはっきり区別しておこう

減価償却するものしないものを確認

応接セットや車、パソコン、レーザープリンターなど、金額が大きく長く使用する備品（10万円以上・青色申告なら30万円以上。貸付け用除く*）は、固定資産として減価償却の対象にしました（➡34ページ）。そのつど、固定資産台帳に必要項目を入力していれば、「残高試算表」に、今年分の減価償却費が自動計算されて計上されます。

もし入力がすんでいなければ、**ここでまとめて入力してもかまいません。**合わせて、固定資産の入力もれや記入内容に誤りがないか、チェックしておきましょう。

壊れたり、手放したりしたときは未償却残高を算出

固定資産のチェックポイントには、右ページのようなものがあります。

壊れたため廃棄した場合は、「**除却**」という作業により、**未償却残高**を経費に計上して、帳簿の固定資産をゼロにする処理をします。ただし、壊れた固定資産は廃棄して、実際に手元からなくしておきます。放置している場合、除却が認められないこともあります。

売った場合も、未償却残高をゼロにします。売却して得た金額と残っていた未償却残高を相殺します。このとき出た利益や損失は、**「事業主借」「事業主貸」**（➡130ページ）**によって、譲渡所得（損失）として処理します（事業所得にはならない）。**

税金キーワード **年末調整** 事業主が毎月行う源泉徴収は、今年の税金の先払いであるため、年末に実際の税額が確定したところで、過不足を調整すること。

166　＊令和8年3月まで。

決算前の固定資産チェックポイント

CHECK
☐ 年の途中で購入した固定資産がもれていないか

→もれが見つかったら、固定資産台帳に登録する（今年の償却期間は、購入月から12月までの月数にする）

CHECK
☐ プライベートとの按分がきちんとされているか

→固定資産台帳の按分割合を確認する。プライベート部分（建物のうち居住部分など）の減価償却費は「事業主貸」で処理をする

CHECK
☐ 売却したものはないか

売却した固定資産があるときは

→売却価額から未償却残高を差し引いて出た利益は「事業主借」、損失は「事業主貸」で処理をする（入力例①参照）

→固定資産台帳で、未償却残高をなくす処理をする（売却した月までの減価償却費は今年分の必要経費になる）

CHECK
☐ 廃棄したものはないか

廃棄した固定資産があるときは

→未償却残高は「固定資産除却損」という勘定科目をつくって入力する＊（その年の必要経費にする・入力例②参照）

→固定資産台帳で、未償却残高をなくす処理をする

＊廃棄までの月数分は分けなくてもよい。

入力例①

●仕事用の車を20万円で売却、10万円の利益が出た

振替伝票

借方		貸方	
勘定科目	金額	勘定科目	金額
現金	200,000	車両運搬具	100,000
		事業主借	100,000

損失が出た場合は、借方に「事業主貸」で入力

POINT

売却による利益や損失は譲渡所得とされるため、勘定科目は「事業主借」「事業主貸」を使う

入力例②

●パソコンが壊れたので廃棄した

振替伝票

借方		貸方	
勘定科目	金額	勘定科目	金額
固定資産除却損	64,000	工具器具備品	64,000

PART 7

1年間のソントクの総まとめ　決算・確定申告

青色申告決算書をつくる

事業の成果を確認しながらチェックしていこう

ここがツボ 会計ソフトで自動作成できるが、内容のチェックは欠かせない

　決算整理や残高試算表のチェックがすんだら、いよいよ**青色申告決算書**を作成します。確定申告書や青色申告決算書は、税務署に行って直接もらったり、国税庁のホームページからダウンロードもできます。事業所得の場合、自分で手に入れるときは、「不動産所得用」などではなく「一般用」であることに注意します（現金式簡易簿記の場合は「現金主義用」を使用する）。

　国税庁ホームページの「確定申告書等作成コーナー」で作成したり（パソコンのほか、スマホでもできる）、e-Taxによる作成もできます。

　青色申告決算書は4ページ構成になっています。1ページ目は損益計算書、2～3ページ目がその内訳、4ページ目が貸借対照表です。会計ソフトを使っていれば、多くの項目は自動作成できます。

　会計ソフトによる自動作成を前提に、青色申告決算書の記載内容やチェックポイントを説明していきます。

売上（収入）金額
売上原価

「売上（収入）金額」（①）は、今年1年間の総収入金額。②～⑥には①にかかる売上原価が記載され、①から⑥を差し引いた金額が⑦に記載される（粗利益）

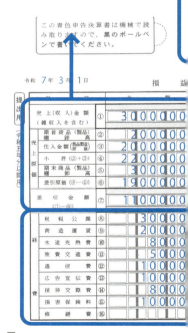

1ページ目は損益計算書

損益計算書には、収入・経費・利益の3つが記載されます。この1年間、収入を得るために、何にどれくらいの経費を使って、どれくらいの利益（損失）を生み出したか一目瞭然。個人事業の1年間の成績表です。

経費
売上原価以外にかかった必要経費が、勘定科目ごとに記載される（⑧～㉔）。空欄（㉕～）には、別につくった勘定科目を入力する。最後にこれらの合計金額が記載され（㉜）、⑦から、㉜を差し引いた金額が㉝に記載される

事業者の住所、氏名、連絡先など

各種引当金・準備金等
前年計上した貸倒引当金（㉞ ➡32ページ）、専従者給与（㊳）、今年計上した貸倒引当金（㊴）が記載される。㉝に㊲を足し、㊳、㊴の合計（㊷）を差し引いた金額が㊸に記載される（㊸が今年1年間の儲け）

青色申告特別控除額。ここでは55万円

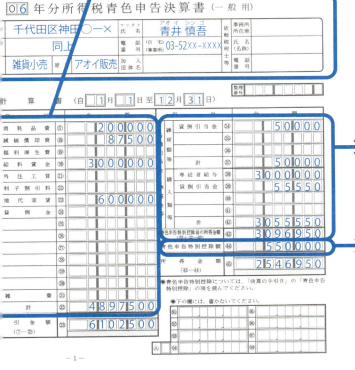

注・175ページまでの書式は令和五年分以降用。変更される場合あり。

2ページ目は損益計算書の細目（月ごとの売上など）

1ページ目の損益計算書の内訳です。項目は、月ごとの売上と仕入れ、貸倒引当金の内容、人件費（専従者含む）の内容、事務所の家賃の内容、青色申告特別控除の内容です。1ページ目の金額の根拠がわかります。

月別売上金額及び仕入金額

月ごとの売上金額と仕入金額が記載される。締め日を20日などにしている場合、2～11月は締め日のままの月計として、1月、12月の欄で、日数分のずれを調整してもよい

それぞれの合計額について、消費税の軽減税率の対象となる金額を記載

貸倒引当金繰入額の計算

今年、貸倒引当金に計上した金額を、個別評価（①）、一括評価（②～④）ごとに記載し、合計額を記載（⑤）

■ 令和 0 6 年分
氏名　青井 慎吾（アオイ シンゴ）

○月別売上（収入）金額及び仕入金額

月	売上（収入）金額	仕入金額
1	2,000,000	2,000,000
2	2,000,000	2,000,000
3	2,000,000	2,500,000
4	3,500,000	2,000,000
5	2,500,000	1,000,000
6	2,500,000	1,000,000
7	3,000,000	1,000,000
8	2,500,000	1,000,000
9	2,500,000	1,000,000
10	2,500,000	2,000,000
11	2,500,000	2,500,000
12	2,800,000	2,000,000
家事消費等	200,000	
雑収入		
計	30,000,000	20,000,000
うち軽減税率対象	0 円	うち 0 円

○貸倒引当金繰入額の計算（この計算に当たっては、「決算の手引き」の「貸倒引当金」の項を読んでください。）

		金額
個別評価による本年分繰入額	①	円
一括評価による本年分繰入額	年末における一括評価による貸倒引当金の繰入れの対象となる貸金の合計額 ②	1,010,000
	本年分繰入限度額（②×5.5%（金融業は3.3%）） ③	55,550
	本年分繰入額 ④	55,550
本年分の貸倒引当金繰入額（①+④） ⑤		55,550

貸倒引当金は、翌年、貸倒れが発生しなければ「貸倒引当金の戻入」という処理をするんだ

CHECK
1ページ目の「繰入額等／貸倒引当金 ㊴」の金額と一致しているか

給料賃金の内訳

人を雇っている場合に、個別に支払った12か月分の給料と賞与、その合計、源泉徴収税額を記載。原則として金額の多い人順で、5人目以降は「その他（　人分）」の欄に、合計金額を記載。1ページ目の「給料賃金⑳」と合計額が一致すること

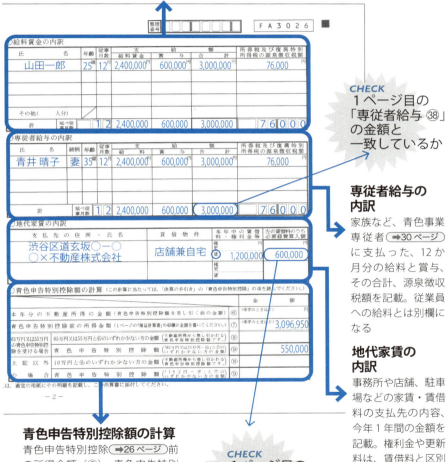

CHECK
1ページ目の「専従者給与㊳」の金額と一致しているか

専従者給与の内訳

家族など、青色事業専従者（→30ページ）に支払った、12か月分の給料と賞与、その合計、源泉徴収税額を記載。従業員への給料とは別欄になる

地代家賃の内訳

事務所や店舗、駐車場などの家賃・賃借料の支払先の内容、今年1年間の金額を記載。権利金や更新料は、賃借料と区別する。プライベートと兼用なら、事業用分のみの記載

青色申告特別控除額の計算

青色申告特別控除（→26ページ）前の所得金額（⑦）、青色申告特別控除の金額（⑨）などを記載。ここでは55万円の控除額

CHECK
1ページ目の「地代家賃㉓」の金額と一致しているか

3ページ目は損益計算書の細目（売上の明細や減価償却費など）

2ページ目に続いて損益計算書の内訳です。主な取引先とその金額等、固定資産の減価償却の内容、借入金の利息の内容などを記載します。見落としている固定資産はないか、事業用の按分率は正しいかなどをチェックしましょう。

売上（収入）金額の明細、仕入金額の明細

主な取引先の名称や所在地、インボイスの登録番号（法人番号）、取引金額などを記載。所在地と登録番号はいずれかだけの記載でもよい

POINT

取引先のインボイス登録について確認する

減価償却費の計算

減価償却する固定資産の内容が記載される（会計ソフトの固定資産台帳から転記）

利子割引料の内訳

事業のための借入金の内容（個人や会社からのもの）や、それに対する今年1年間の利息を記載。金融機関からの借入金や車のローンなどは記載しない

（令和五年分以降用）

○売上（収入）金額の明細　※ 登録番号を記載する場合には、先頭に「T」を付けた上で13桁の数

売　上　先　名	所　在　地	登録番号（法人番
（株）○×社	大田区蒲田○‐○‐○	T000000000
（株）△△△	新宿区西新宿○‐○‐○	T000000000
（株）□□社	豊島区池袋○‐○‐○	T000000000
○○（株）	渋谷区道玄坂○‐○‐○	T000000000
上　記　以　外　の　売　上　先　の　計（雑　収　入　を　含　む）		

○仕入金額の明細

仕　入　先　名	所　在　地	登録番号（法人番
（株）△○社	練馬区大泉町○‐○‐○	T000000000
○○○（株）	三郷市谷口○‐○‐○	T000000000
（株）○○○	豊島区東池袋○‐○‐○	T000000000
上　記　以　外　の　仕　入　先　の　計		

○減価償却費の計算

減価償却資産の名称等（繰延資産を含む）	面積又は数量	取得年月	⑦取得価額（償却保証額）	⑨償却の基礎になる金額	償却方法	耐用年数	⑩償却率又は改定償却率	⑪本年中の償却期間
パソコン	1	6年1月	350,000円（　）	350,000円	定額	4年	0.25	12月/12
		・	（　）					/12
		・	（　）					/12
		・	（　）					/12
		・	（　）					/12
		・	（　）					/12
計								

○利子割引料の内訳（金融機関を除く）

支　払　先　の　住　所　・　氏　名	期末現在の借入金等の金額	本　年　中　の利　子　割　引　料	左のうち必要経費算入額
	円	円	円

－3

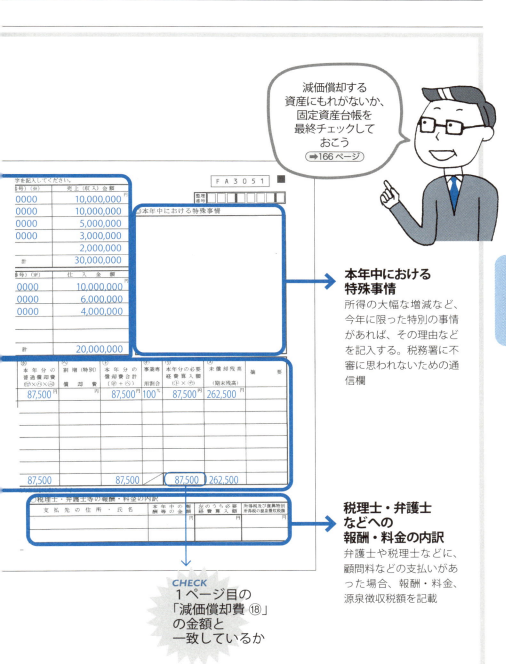

4ページ目は貸借対照表

決算時点の財政状況を表すのが貸借対照表です。どのようにお金を調達したか（負債、資本）、そして、その資金で行われた事業活動の結果（資産）がわかります。期首（年の初め）と、期末（年の終わり）の金額が併記され、その変化も見られます。

資産の部
複式簿記の「借方」部分（→106ページ）。現金や預金、固定資産、売掛金など、決算時に個人事業主が持つ資産（→108ページ）が記載される。原則として、現金化しやすい順に並ぶ

CHECK
1ページ目の「期末商品（製品）棚卸高⑤」の金額と一致しているか

CHECK
3ページ目の「㋾未償却残高」の金額と一致しているか

損益計算書と貸借対照表の金額から、経営のさまざまなチェックができるぞ
（→196ページ）

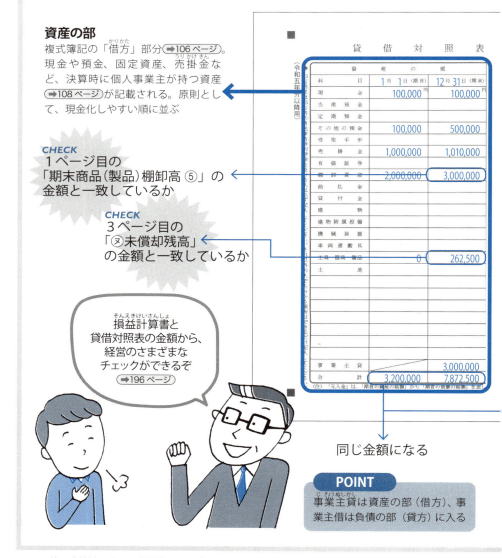

同じ金額になる

POINT
事業主貸は資産の部（借方）、事業主借は負債の部（貸方）に入る

注・会社法により、貸借対照表の「資本の部」は、原則として「純資産の部」に改められた。ただし、青色申告では、現在も一般に「資本」が使われており、本書でも「資本」で統一している。

負債・資本の部

複式簿記の「貸方」部分(→106ページ)。事業を行うため、どんな方法で、いくらお金を調達したかが記載される。よそから借りてくれば「負債」、自己資金なら「資本（元入金）」。買掛金など、支払い義務があり、まだ支払っていないお金も記載される

CHECK
2ページ目の「本年分の貸倒引当金繰入額⑤」の金額と一致しているか

製造原価の計算

原材料を仕入れ、加工などをして販売する製造業では、原価計算（製品をつくるのにいくらかかったか）を行わなければならない。貸借対照表の一部ではなく、損益計算書の③仕入金額（製品製造原価）の内訳の細目（やや専門的であるため、本書では解説していない）

確定申告

3月15日までに税務署に提出する

ここがツボ 提出期限は3月15日（土日の関係で、1～2日後にずれる場合あり）。遅れると、最大65万円の青色申告特別控除が受けられなくなる

提出期限を守らないと、55万円（65万円）の控除が受けられない

　青色申告決算書が完成したら、納める税額を計算するため、**確定申告書**を作成します。確定申告書は税務署でもらったり、国税庁のホームページからダウンロードもできます。

　確定申告書の提出期間は、2月16日～3月15日（土日の関係で1～2日後にずれる場合あり）です（納付も同じ）。提出が1日でも遅れると、青色申告特別控除の額が10万円になってしまいます（➡68ページ）。期限厳守を肝に銘じましょう。

必要書類は早めにチェックしてそろえておこう

　確定申告書の作成は、e-Taxや会計ソフトで行ったり、国税庁のホームページからインターネットを通じて行うこともできます（「確定申告書等作成コーナー」を利用する。パソコンのほかスマホでも作成できる）。

　大きな記入の流れは、右ページの通りです。ポイントは**所得金額から控除できる所得控除をもれなく記入すること**です。令和6年分では、定額減税額*を忘れずに記入しましょう。

　申告内容により、計算明細書や付表などを使用するほか、さまざまな書類が必要になります（e-Taxなら省略できるものも多いので要確認）。取り寄せるのに時間がかかる場合もありますから、**直前になってあわてないよう、早めにそろえておきましょう**。

税金キーワード　**農業簿記**　農業を営む人のために特化した帳簿つけの方法。資産の種類や作物の種類など、独特な要素に対応する内容になっている。なお、決算書は「農業所得用」を使う。

*定額減税（1人当たり所得税3万円、住民税1万円の減税措置）は、事業所得者の場合、令和6年分の確定申告により適用を受ける（源泉徴収されている青色事業専従者は、その税額から定額減税を受けることになる）。

所得税の計算の流れを知っておこう

1 1年間の収入、所得を計算する

- すべての所得を合計する
- 事業所得や不動産所得が赤字の場合は、他の所得と損益通算する
- 前年、前々年の赤字があれば純損失の繰越控除を行う（➡28ページ）

POINT

株の売買損益や土地・建物の売買損益、退職金などによる所得は、他の所得と別にして税額を計算するため、この計算には含めない（分離課税）

2 所得控除を算出する

- 所得控除は、条件に当てはまれば所得から一定額を差し引くことができるしくみ。当てはまるものを確認して、控除額を算出する（➡182～187ページ）

3 所得から所得控除の合計額を差し引く

- この計算により出た金額が、税金計算のもととなる金額（課税所得）

4 税額を計算する

- 下の税額表に当てはめて税額を求める
（例）課税所得500万円の税額

500万円 × 20% － 42万7500円 ＝ 57万2500円

5 税額控除を差し引き、復興特別所得税を足す

- 税額控除は、条件に当てはまれば税額から一定額を差し引くことができるしくみ。当てはまるものを確認して、控除額を算出する（➡187ページ）。その後、復興特別所得税（所得税額× 2.1%）を計算し、合計する

納付税額の確定

- **3月15日（原則）までに申告・納税**
- **振替納税を選んだ場合、4月中旬に預金口座から引き落とされる**

所得税の税額表（速算表）

課税所得	税率	控除額
195万円以下	5%	なし
195万円超330万円以下	10%	9万7500円
330万円超695万円以下	20%	42万7500円
695万円超900万円以下	23%	63万6000円
900万円超1800万円以下	33%	153万6000円
1800万円超4000万円以下	40%	279万6000円
4000万円超	45%	479万6000円

PART 7

1年間のソントクの総まとめ 決算・確定申告

確定申告書をつくる①

今年1年分の納める税金を計算する

ここがツボ 第一表の多くの項目は、青色申告決算書や申告書（第二表）からの転記で記入できる

まず紙の申告書の基本を確認

確定申告書の用紙は**第一表**と**第二表**からなり、それぞれ**2枚つづり（提出用、控え用）の複写式になっています**。先にコピーなどに下書きしてから、提出用に清書すれば、間違いを防ぐことができるでしょう。

直接記入する際は、黒や青のボールペンなど、消せない筆記具で丁寧に記入します。機械で読み取るため、癖のある数字は読み誤りのもとになります。また、申告書は汚さないように注意します。訂正個所が発生した場合は、二重線でその個所を消し、余白に正しい金額などを記入します。

手順通りに進めば、意外と簡単

まずは、第二表に印字されている住所・氏名などに間違いがないか確認し、第一表に住所・氏名などを記入します。印字されていないものを使うなら、第一表、第二表、それぞれに記入します。

第一表の大半は、青色申告決算書と第二表からの転記作業、あとは足し算、引き算です（➡右ページ）。Ⓐは、事業以外の所得がなければ、青色申告決算書からの転記ですみます。Ⓑには所得控除を記入していき（第二表などから計算・転記）、その金額を合計します（所得控除については➡182～187ページ）。Ⓒで課税される所得を求め、税額を決定させます。

つまり、Ⓐ→Ⓑ→Ⓒの順に記入すれば、無理なく税額を算出できます。**記入後は、計算ミスや記入もれをチェックしましょう。**

税金キーワード | **配当所得** 総合課税の8種類の所得の1つ。会社から受け取る株式の配当や剰余金の分配金など。配当金などは源泉徴収されており、確定申告するかどうかは選択できる。

178

確定申告書（第一表）で税額がわかる

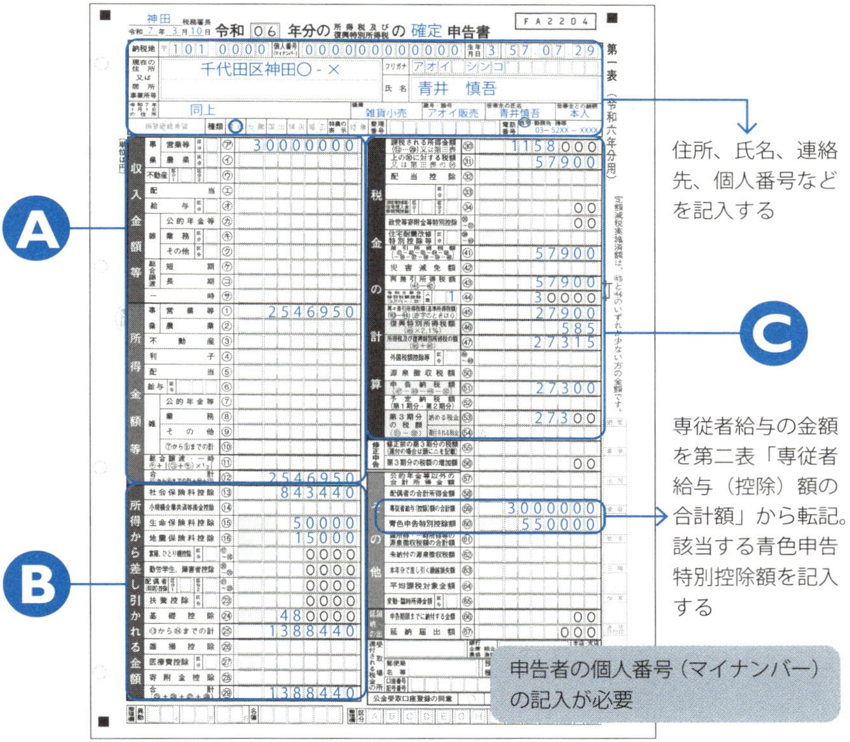

住所、氏名、連絡先、個人番号などを記入する
専従者給与の金額を第二表「専従者給与（控除）額の合計額」から転記。該当する青色申告特別控除額を記入する
申告者の個人番号（マイナンバー）の記入が必要
A
B
C

Ⓐ 1年間の収入と所得を記入する

❶ 青色申告決算書（1ページ目）の「売上（収入）金額 ①」から㋐に転記する

❷ 青色申告決算書（1ページ目）の「所得金額 ㊺」から ① に転記する

その他、事業所得以外の収入・所得があれば、該当欄に記入する

Ⓑ 受けられる所得控除を記入する

❶ 第二表の右側などから、該当欄へ記入する（所得控除については（➡182～187ページ））

❷ 合計額を ㉕㉙ に記入する

Ⓒ 課税される金額と税額を算出して記入する

❶ ⑫ － ㉙（1000円未満切り捨て）の金額を ㉚ に記入する

❷ 速算表（➡177ページ）で計算した税額を ㉛ に記入する

❸ 当てはまる税額控除を差し引き、「差引所得税額」「再差引所得税額」に記入する*

❹ 復興特別所得税（所得税額× 2.1%）を計算し、合計する

❺ (51) に税額（100円未満切り捨て）を記入し、「納める税額」を記入する（還付の場合は端数のまま）

＊令和６年分では、この後に定額減税分を記入して差し引く。

注・上の書式は国税庁「令和六年分用（案）」。変更される場合がある。

確定申告書をつくる②

第一表の記載内容の内訳を明らかにする

> **ここがツボ** 第一表、第二表は、どちらを先に書いてもよいが、第二表で内訳まで記入しておけば、第一表は転記ですむ

第一表より先に記入すると手間が省ける

　確定申告書の第二表の内容は、第一表の所得や所得控除の項目の内訳です。そのため、第一表より先に、第二表を記入しておいたほうが、後の作業が楽になります。

　第二表に記入するためには、支払調書（1年間の支払いの内容、源泉徴収税額が記載された書類）や源泉徴収票の他、社会保険料の控除、生命保険料の控除など、控除額を証明する書類が必要です。あらかじめ、必要な書類をそろえて手元に用意しておきましょう。

支払調書や各種証明書など、書類がそろっていれば簡単

　第二表は、大きく3つのパートに分かれています（➡右ページ）。

　Ⓐには、給与所得などを記入します。取引先から支払い時に源泉徴収されている場合の他、開業年であれば、退職までの給与所得などです。送付されてきた支払調書や源泉徴収票から、該当する金額を転記します。

　Ⓑには、青色事業専従者（または白色申告の専従者）がいる場合に、その届け出にしたがって、適用を受けた人の氏名や続柄、報酬額を記入します。青色申告決算書からの転記でOKです。第一表にも転記します。Ⓒには、社会保険料や生命保険料などの所得控除額、配偶者や親族について記入します。

　マイナンバーの確認書類などは、確定申告書についている添付書類台紙に糊付けして添付します。

税金キーワード　**バランスシート**　会社や個人事業の財政状態を表す貸借対照表（→106ページ）の別名。借方、貸方の金額が同じになる（つり合う）ことから。「B/S」と表記されることもある。

確定申告書（第二表）には所得控除などの詳しい内容を記入する

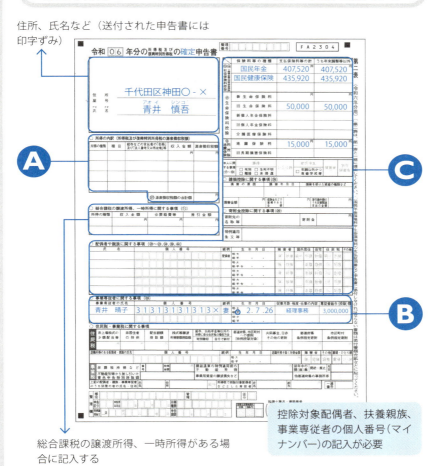

総合課税の譲渡所得、一時所得がある場合に記入する

Ⓐ 給与所得などについて記入する
給与所得や雑所得があれば記入する（源泉徴収票などから転記）

Ⓑ 事業専従者について記入する
青色事業専従者がいれば、青色申告決算書（2ページ目）「専従者給与の内訳」から、該当欄に転記する（個人番号が必要）

Ⓒ 所得控除などについて記入する
当てはまる所得控除などの内容を記入する（各所得控除については ➡182～187ページ）。この内容は第一表に記入する

注・上の書式は国税庁「令和六年分用（案）」。変更される場合がある。

所得控除の種類

節税できる最終ポイント
使える控除を見逃さない

ここがツボ 所得控除により、それぞれ条件やそろえる書類が異なる。あわてないよう早めに準備しておこう

個々の事情により税負担を軽くできる

青色申告には、さまざまなメリットがありますが、青色申告をする人に限らず、納税者が受けられる税金のメリットが「**所得控除**」です。条件により、**今年の収入（所得）から差し引くことができる金額**です。

確定申告書作成の目的は税額の算出ですが、申告者の側からいえば、こうした所得控除を、きちんと差し引くことが重要なポイントです。

見落としている控除がないか確認

所得控除は14種類あり、それぞれ控除額や計算方法が違います。一定の割合をかけて算出するものもあれば、全額が控除されるものもあります。

確定申告による税金は、自分で計算して納めるものです。**所得控除を見逃していても、税務署が教えてくれるわけではありません。**183ページから、それぞれ所得控除のポイントを紹介します。どんな所得控除があり、どんな場合に使えるのか、整理しておきましょう。

プラスアルファの知識

ふるさと納税に注目

ふるさと納税とは、都道府県や市区町村に寄付をすることです。この寄付金は所得税の寄付金控除と住民税の税額控除の対象となり、寄付金のうち、2000円を超える部分が全額控除されます（一定の上限あり）。

さらに、特産品などのお礼の品（返礼品）をもらえる場合もあります（総務省の指定が必要）。寄付先が5件までなら確定申告不要となる制度もあります＊。

＊他に確定申告の必要がある場合は使えない。

医療費控除を受けるため、病院の領収書をとっておこう

本人や本人と生計を一にする配偶者や親族の1年間の医療費の合計が、右図を超えた部分を控除できる。医療費は、診療費用の他、薬代や通院に必要な費用、入院費（一般的な水準のもの）など。また、交通費（病状によっては病院までのタクシー代も可）も含められる。

●必要書類　医療費控除の明細書（税務署の書式あり）* など

*領収書などは提出不要（5年間の保存義務あり）。

医療費控除の控除額

1年間の医療費[*1] − **10万円**[*2] を**控除**できる

*1 高額療養費や、支払いを受けた保険金などをのぞく。

*2 その年の総所得金額等が200万円未満の人は、総所得金額等の5％。

注・一定の市販薬の購入費用について所得から控除できる医療費控除の特例（セルフメディケーション税制）との選択適用となる。

社会保険料控除は、家族の分もOK

健康保険、国民健康保険（介護保険含む）や国民年金、国民年金基金、厚生年金などに支払った保険料が対象（未払分は除く）。

本人の分だけでなく、生計を一にする配偶者や親族の分を支払っている場合、その分も合計することができる。

●必要書類　日本年金機構から送られてくる国民年金の「控除証明書」、国民年金基金加入の場合は、その「支払証明書」。他は証明書類不要

社会保険料控除の控除額

1年間に支払った全額を**控除**できる

注・187ページまでの所得控除の必要書類はe-Taxなら添付を省略できる（5年間の保存義務あり）。

PART 7

1年間のソントクの総まとめ　決算・確定申告

183

生命保険料控除は、控除証明書が必須

　生命保険料の一部を所得から差し引くことができる。控除対象となるのは、生命保険料と介護医療保険料、個人年金保険料。

　ただし、保険期間が5年未満で、貯蓄性の高いものは対象外になることも。個人年金保険は受取人が本人または配偶者に限る。また、その年の配当金や割戻金は、保険料から差し引いて計算する。

●必要書類　保険会社などから送られてくる保険料控除証明書

生命保険料控除の控除額

「一般の生命保険」「介護医療保険」「個人年金保険」それぞれについて、1年間に支払った保険料に応じて計算

いずれも
最高4万円を
控除できる
（合計で最高12万円）

注・旧生命保険料控除、旧個人年金保険料控除（平成23年までの契約）では、それぞれ最高5万円（合計10万円）。

地震保険料控除は、地震の損害をカバーするもののみ

　自宅や家財にかけた地震保険が対象。火災保険、傷害保険などは対象外。支払保険料の全額（5万円が限度）が控除される。住民税からも控除を受けられる（2万5000円が限度）。

　なお、平成18年末までに加入した長期損害保険については、1万5000円の控除を受けることができる。

●必要書類　保険会社から送付される保険料控除証明書（控除対象かどうかも確認できる）

地震保険料控除の控除額

①地震保険料は
最高5万円を**控除**できる

②旧長期損害保険料は
最高1万5000円を
控除できる

（①と②が両方ある場合は、合計で最高5万円を控除できる）

配偶者の控除は、配偶者の収入150万円以下が条件

配偶者に対する38万円の控除は、本人と生計を一にする配偶者で、給与収入150万円以下の場合に受けられる。

この収入を超えても、配偶者の給与収入が201万円以下なら控除を受けられる。ただし、収入が多くなるほど、控除される金額は少なくなる（36万円〜1万円）。

いずれの控除も、青色事業専従者（➡30ページ）は対象外。

●必要書類　なし

配偶者控除、配偶者特別控除の控除額

配偶者控除
最高38万円を控除できる
（配偶者が70歳以上なら最高48万円）

配偶者特別控除
配偶者の年収により、
最高38万円を控除できる

注・控除額は申告者本人の所得によっても段階的に縮小される（1000万円超でゼロ）。

扶養控除の対象は、子供だけとは限らない

配偶者以外に、16歳以上の子や両親、祖父母（配偶者の両親、祖父母含む）など、生計を一にする親族（扶養親族）がいる場合に、その人数分の控除を受けられる。扶養親族は、年間の収入が103万円以下、また青色・白色の事業専従者になっていないことなどが条件。

1人当たりの控除額は38万円が基本だが、扶養親族の年齢や、同居か別居かに応じて控除額が変わる。

●必要書類　なし

扶養控除の控除額

一般の扶養親族なら
1人につき
38万円を控除できる

● 扶養親族が19歳以上22歳以下なら63万円〈特定扶養親族〉
● 扶養親族が70歳以上なら48万円〈老人扶養親族〉、同居老親等なら58万円

まだあるこんな所得控除① （雑損控除、小規模企業共済等掛金控除）

　自然災害や盗難、横領などによって、自宅や家財に損害があったときは「雑損控除」が受けられる*（事業の資産などは対象外）。

　また、小規模企業共済の掛金（➡40ページ）や個人型確定拠出年金の掛金は「小規模企業共済等掛金控除」により全額控除となる。

●必要書類　雑損控除＝災害などで支出した費用の領収書など　小規模企業共済等掛金控除＝支払いを証明する書類

＊「災害減免法」による税金軽減もあり、いずれか有利なほうを選べる。

雑損控除の控除額

①損失金額 － 所得金額 × 10％
②災害関連支出 － 5万円

①と②のいずれか
多いほうを控除できる
（3年間の繰越控除が可能）

小規模企業共済等掛金控除の控除額

1年間に支払った
全額を
控除できる

まだあるこんな所得控除② （寄付金控除、寡婦控除、ひとり親控除）

　「寄付金控除」では、国や地方公共団体、学校法人、一定の公益法人などに寄付を行った場合に、右の金額が控除される（学校入学時の寄付金などは対象外）。ただし、所得金額の40％が限度。

　夫（妻）と死別、離婚、未婚のひとり親などは「寡婦控除、ひとり親控除」を受けられる。

●必要書類　寄付金控除＝寄付金の受領証など　寡婦控除、ひとり親控除＝なし

寄付金控除の控除額

**その年の特定寄付金の
合計額 － 2,000円**
を**控除**できる
（特定寄付金の合計額は所得金額の
40％相当額が上限）

寡婦控除、ひとり親控除の控除額

子供がいる場合、
35万円を**控除**できる*
（子供のいない寡婦は27万円）

＊所得500万円以下が条件。

注・震災関連寄付でも寄付金控除を受けられる（一定の条件あり）。

まだあるこんな所得控除③（勤労学生控除、障害者控除、基礎控除）

　その他、働きながら学校に通っており、年収が130万円以下なら「勤労学生控除」を受けられる。また、本人または配偶者や扶養親族が障害者なら「障害者控除」の対象となる（配偶者控除、扶養控除と併用できる）。

　収入のある人が原則受けられる「基礎控除」もある。確定申告書への記入を忘れずに。

●必要書類　勤労学生控除＝学校や法人による証明書　障害者控除＝なし　基礎控除＝なし

勤労学生控除の控除額
27万円が
控除される

障害者控除の控除額
1人につき **27万円**が **控除**される
（特別障害者の場合は1人につき40万円。同居特別障害者の場合は75万円）

基礎控除の控除額
所得2400万円以下の納税者は
最大48万円が **控除**される

プラスアルファの知識

節税効果の高い「税額控除」とは

　算出した税額から、直接差し引けるのが「税額控除」です。主な税額控除には「配当控除」「外国税額控除」「住宅借入金等特別控除」があります。

　配当控除は、株式などの配当を受けたとき、他の所得との合計額が1000万円以下は配当所得の10％、1000万円超の部分は5％を差し引くものです。

　外国税額控除は、国外で所得を得た場合の二重課税を防ぐため、一定税額を控除するものです。

　住宅借入金等特別控除は、ローンを組んでマイホームを購入した場合などに、10年間または13年間、原則として年末ローン残高の0.7％（令和6年）を税額から差し引くものです。

PART 7

1年間のソントクの総まとめ　決算・確定申告

e-Tax

インターネットで申告すれば税務署へ行かなくてすむ

ここがツボ 最初は登録などの手間と一定の費用がかかるが、
忙しい個人事業主にはもってこいの申告方法だ

添付書類も省略できる

　以前の確定申告書の提出方法は、税務署に出向くか郵送でした。しかし、国税の電子申告・納税システム**「e-Tax」を利用すれば、パソコンやスマホで申告をすませられます。**画面上で入力するため、修正も簡単です。計算が必要なところは、自動的に行われるため、計算間違いもありません。さらに複式簿記とともに**e-Tax を行うことで、青色申告特別控除が 65 万円となるメリットもあります。**

　申告書はインターネットを通じて送信します。さらに、**納税も、ネットバンキングなどによりパソコン上で行うことができます。**

導入後は時間を大きくカットできる

　e-Tax を実践するには、右ページの手続き・事前準備が必要です。手続き方法により時間がかかる場合もあります。IC カードリーダライタの購入や読み取り機能のあるスマホなどに、**一定の費用がかかることもあります。**なお、マイナンバーカードを利用すれば「開始届出書」が提出不要など手続きを簡素化できます。

　また、国税庁のホームページには「**確定申告書等作成コーナー**」があり、画面上で確定申告書を作成することができます。スマホ対応の青色申告決算書、収支内訳書も設けられています。出力して提出する他、e-Tax と連動させて電子申告することも可能です。

税金キーワード **マイナポータル連携**　マイナンバーカードによりオンラインで行政手続きなどができるマイナポータルとの連携で、確定申告の際に電子交付された控除証明書などを自動入力できる。

e-Taxを始めてみよう

準備・登録

1 「開始届出書」を税務署に提出する
- マイナンバーカードがあれば、開始届出書や市区町村発行の電子証明書がなくても手続きができる（マイナンバー方式）
- 税務署で職員との対面で本人確認を行い、IDとパスワードを取得する方法もある（ID・パスワード方式）

2 e-Taxのソフト＊や国税庁の「確定申告書等作成コーナー」から登録などの手続きを行う
ID・パスワードやマイナンバーカードが必要になる（利用する方式により異なる）
＊e-Taxホームページからダウンロードできる。

申告

3 e-Taxのソフトや国税庁の「確定申告書等作成コーナー」で、青色申告決算書、確定申告書を作成する
作成したら申告データを送信する。会計ソフトによっては、会計ソフトでつくった申告書等データをそのまま使える

確定申告書等作成コーナーの画面（令和6年現在のもの）
（https://www.keisan.nta.go.jp/）

納付・還付

4 インターネットから納付したり、還付も受けられる
インターネットバンキングやダイレクト納付など。ダイレクト納付とは、e-Taxソフトから直接振替で納付する方法（事前に税務署への届け出が必要）。クレジットカード等による納付も可能

注・令和7年1月から、スマホ用電子証明書により、マイナンバーカードを読み取ることなく、申告書作成・e-Tax送信ができるようになる（事前の申請・登録が必要）。

税務署 **赤字のときの確定申告**

損失申告書で繰越控除の手続きをしておく

ここがツボ 青色申告決算書と確定申告書に、第四表を一緒に提出することで、翌年以降に繰越控除が受けられる

　努力が実らず、決算の結果、赤字になる年もあるでしょう。赤字とは、収益より、費用のほうが多い状態です。「赤字で所得はないのだから、申告の必要はないだろう」と思うかもしれません。しかし、**赤字が出た年も確定申告をしたほうが有利です。**

　まず、本業以外に所得があれば、**損益通算を行うことができます**。たとえば「ブログでアフィリエイト」「アパート経営」など副業の所得があれば、それらのプラスから事業のマイナスを差し引き、損失を相殺（そうさい）できます。他の所得を減らせるので、結果として節税につながります。

　本業以外の所得がない人、損益通算しても赤字が残る人は、通常の確定申告書に加え、第四表（損失申告用）を使うことで、「**損失申告**」ができます。損失申告により、**翌年以降の黒字から、今年の赤字分を相殺することができます。**これを「純損失の繰越控除（くりこしこうじょ）」といいます（➡28ページ）。青色申告の特典の1つです。

　ただし、確定申告をしなければ、この特典は使うことができません。確定申告書は、必ず提出しましょう。

➕ プラスアルファの知識
申告内容の間違いに気づいたら

　申告書の提出後、間違いに気づいた場合、まだ申告期限前であれば、該当個所を修正して再度申告書を作成し、「訂正申告」として再提出します。期限後に多く納め過ぎていることに気づいたら「更正（こうせい）の請求書」、少なく納めていたなら「修正申告書（確定申告書を使用）」に修正内容を記入して提出します。税務署から先に指摘を受けて修正するとペナルティが大きくなるため、できるだけ早く提出します（➡192ページ）。

第四表は損益通算用と繰越控除用の2枚

損失申告では、確定申告書（第一表、第二表）と下の第四表（一、二）を一緒に提出する

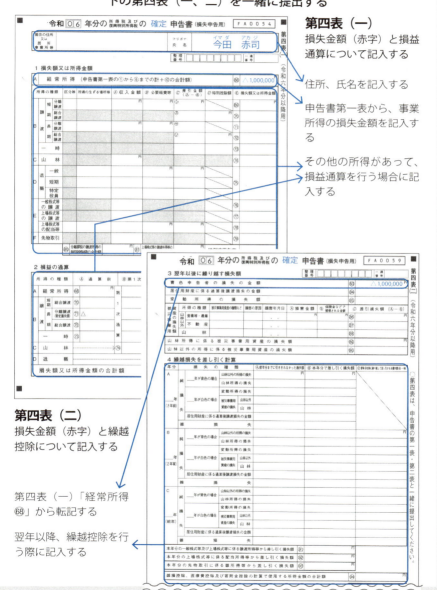

注・上の書式は国税庁「令和六年分以降用（案）」。変更される場合がある。

税務調査

ずさんな申告には ペナルティが科されることも

ここが ツボ 税務調査の連絡があっても、正しく帳簿をつけ、それに基づいて申告していれば恐れることはない

個人事業主も油断してはいけない

確定申告後、申告内容に不審な点がある場合、税務署から電話がかかってきて、申告内容について質問されることがあります。また、直接税務署の職員が事務所などを訪れ「**税務調査**」を受けることがあります。「売上の少ない個人事業主のところには来ないだろう」というのは誤りです。確かに会社のほうが注目されやすいのですが、**一定の割合で、個人事業主にも税務調査は行われています。**

最近の税務署はコンピュータ管理が進み、事業者の申告内容は、同業種の過去の事例などからチェックされます。たとえば、業界の標準から外れた経費の使い方などがあれば、コンピュータが自動的にピックアップします。

按分率や必要経費の根拠は、はっきりさせておこう

税務調査では、帳簿や請求書、領収書など、申告の基礎資料をこまかくチェックされます。個人事業主の場合はプライベートとのやりとり、按分率などが注視されます。100%経費の事業用とした車に対して、「子供を車に乗せることは?」など、不意な質問を受けることも。

按分率や必要経費の内容などは、きちんと説明できる内容であることが重要です。証拠書類なども、すぐ提示できるよう整理しておきましょう。

実態と合わない点が見つかれば、修正を求められます。素直に応じれば、修正に基づいて税金が再計算され、差額分を納めることになります。

税金キーワード **法人税** 法人の所得にかかる国の税金。税率は一律 23.2%。中小企業(資本金 1 億円以下)は、所得 800 万円まで 15%に軽減される。

税務調査で申告に不備が見つかったら

税務調査では
領収書、各帳簿をチェックされる（きちんと保存していなかった場合、青色申告を取り消されることも（➡68ページ））。
特に電気代、電話代、車などの按分比率や必要経費の内容は注目されやすい

⬇ 申告内容に不備が見つかった

修正申告を行う
（税務署が強制的に申告内容を修正する「更正処分」もある）

ペナルティとして

[過少申告加算税]
追加で納付する税額の **5～15%**
税務署の指摘を受け修正申告した場合。調査通知前の自主的な修正申告にはかからない

＋

[延滞税]
年 **8.7%** [*1]
（最初の2か月 [*2] は年 2.4%）
納付期限に遅れた日数分の利息を納める（上の税率を日割り）

所得隠しや架空費用の計上など、手口が悪質とされる場合

[重加算税]
追加で納付する税額の **35%** [*3]

PART 7 1年間のソントクの総まとめ 決算・確定申告

*1 令和6年1月からの割合。 *2 修正申告の場合、修正申告の納付期限の翌日から2か月（ただし、当初の納付期限からの期間含む）。
*3 今回の修正申告等があった日前5年以内に重加算税が課されている場合 45%。

税務署 **次の年の事業に向けて**

翌年に引き継ぐお金、今年限りのお金

ここがツボ 決算書、申告書作成時に並行して翌年の事業もスタート。
混乱しないよう翌年へ引き継いでいこう

今年から翌年への移行は手早く

　決算作業中も事業は動いており、翌年の事業の帳簿つけも始まります。つまり、年末年始の決算作業と並行して、**今年の決算内容を翌年に引き継ぐ作業も必要になります。**

　今年の決算から翌年に引き継ぐ必要があるのは、貸借対照表の内容です。貸借対照表は、今年12月31日時点（期末）の財政状態を表したものです。期末の財政状況は、当然翌年1月1日の期首に引き継がれます（期首繰越処理といい、通常会計ソフトが自動的に行う）。

　現金出納帳、預金出納帳など、各補助簿の金額も、翌年のそれぞれの帳簿の期首に「前年より繰越」としてスライドします。これらの金額が、翌年の事業のスタート地点となります。

　ちなみに、損益計算書は今年1年間の事業の結果を取り出したもの。翌年はリセットして、ゼロからスタートします。

事業主借・事業主貸は、翌年の元入金の一部となる

　貸借対照表を見ると、期首の事業主借、事業主貸は、斜線が入って記入できないようになっています。事業主借、事業主貸はゼロからスタートするためです。**今年の事業主借、事業主貸の金額は、翌年の元入金（事業の元手）の一部となります。今年の所得金額も、同様に元入金に合計されます**（右ページの計算式参照）。

税金キーワード　無形固定資産　形のある有形固定資産に対して、特許権や商標権、実用新案権、意匠権、ソフトウェアなど、長期に使用されるが、形のない資産をいい、減価償却を行う。

貸借対照表の金額が翌年へとつながっていく

今年の貸借対照表

貸　　産　　の　　部			負　債・資　本　の　部		
科　　目	1月1日(期首)	12月31日(期末)	科　　目	1月1日(期首)	12月31日(期末)
現　　金	100,000	100,000	支　払　手　形		
当　座　預　金			買　掛　金	800,000	1,000,000
定　期　預　金			借　入　金	1,200,000	1,610,000
その他の預金	100,000	500,000	未　払　金	100,000	100,000
受　取　手　形			前　受　金		
売　　掛　　金	1,000,000	1,010,000	預　り　金	50,000	50,000
有　価　証　券					
棚　卸　資　産	2,000,000	3,000,000			
前　払　金					
貸　付　金					
建　　物					
建物附属設備					
機　械　装　置			貸倒引当金	50,000	55,550
車両運搬具					
工具 器具 備品	0	262,500			
土　　地					
			事　業　主　借		960,000
			元　入　金	1,000,000	1,000,000
事　業　主　貸		3,000,000	青色申告特別控除前の所得金額		3,096,950
合　　計	3,200,000	7,872,500	合　　計	3,200,000	7,872,500

（注）「元入金」は、「期首の資産の総額」から「期首の負債の総額」を差し引いて計算します。

翌年の現金出納帳の最初の欄に「前年より繰越」として、この金額が引き継がれる

翌年の買掛帳の最初の欄に「前年より繰越」として、この金額が引き継がれる

翌年の預金出納帳の最初の欄に「前年より繰越」として、この金額が引き継がれる

翌年の売掛帳の最初の欄に「前年より繰越」として、この金額が引き継がれる

翌年の固定資産台帳のそれぞれの項目に金額が引き継がれる

POINT
その他、貸借対照表の項目は、それぞれの勘定科目にしたがって翌年に引き継がれる

翌年の事業の元手は、下の計算式による合計金額となる

損益計算書の金額は今年限りのもの。翌年には引き継がれない

C今年の元入金 ＋ **B事業主借** － **A事業主貸** ＋ **D今年の利益**

翌年の元入金

POINT
事業主借と事業主貸は、年の最初は必ず0円から始まる

PART 7　1年間のソントクの総まとめ　決算・確定申告

195

1年間の事業を評価

青色申告決算書の
数字を読みとく

ここが ツボ 決算書、確定申告書には、事業に有用な情報がつまっている。
目いっぱい活用しよう

決算書が持っている情報に目を向けよう

今年1年間の利益を計算し、確定申告書の作成が終われば決算作業は終了です。しかし、せっかく複式簿記を選び、損益計算書、貸借対照表という決算書を作成するのに、税金を計算して終わりではもったいないでしょう。

たとえば、貸借対照表を見れば、見かけ上は500万円の利益が出ていても、1000万円の売掛金が残っていれば、喜んでばかりはいられないことがわかります。じっくり金額を読みとけば、**事業展開のヒントや隠れた危機などを知ることができるのです。**

利益を出し続けるため、決算書や申告書を活用する

会計ソフトにおまかせの帳簿つけでは、多くを自動作成できてしまうため、初心者には心強い味方である半面、帳簿の数字を読みとく力がつきにくいというデメリットがあります。

しかし、これは意識の問題です。**会計ソフトには事業のデータがつまっています。**積極的に利用することで、データを有意義に役立てることができるのです。たとえば、月ごとの売上や経費の変動、前年との利益率の比較などは、簡単にグラフ化などができます。また、右ページのような事業の指標となる計算式を知っていれば、より正確に事業の状態をつかむことができます。

青色申告の最大のメリットは、帳簿つけにより数字への感覚を磨き、事業のデータを蓄積して、それを事業に役立てられることなのです。

税金キーワード **利子所得** 総合課税の8種類の所得の1つ。預貯金や公社債の利息などによる所得。通常、支払い時に20.315%が源泉徴収される（源泉分離課税）。

決算書や確定申告書の数字から事業の指標を計算できる

可処分所得 ＝ **所得金額** － (**所得税額**＊ ＋ **住民税額** ＋ **社会保険料**)

損益計算書の ㊸

確定申告書（第一表）の �51

前年度の金額

＊復興特別所得税額を含む。

実際の儲け（手取り） → もちろん多いほどよい

自己資本比率 ＝ **元入金** ÷ (**負債** ＋ **元入金**)

貸借対照表右側の「元入金」

貸借対照表右側の負債（「支払手形」〜「預り金」）の合計

元手のなかの返す必要のないお金の比率 → 数値が高いほどよい（目安は 50%以上。業種によっても異なる）

当期純利益率 ＝ **所得金額** ÷ **売上金額**

損益計算書の ㊸

損益計算書の ①

売上に対する利益の比率 → 数値が高いほどよい（目安は 5%以上。業種によっても異なる）

注・必要経費÷売上金額で、経費率もわかる。

損益分岐点売上高 ＝ **固定費** ÷ (**1** － **変動費** ÷ **売上金額**)

売上に関係なく必ず必要になる支払い（家賃、水道光熱費、人件費など）

損益計算書の ①

売上とともに増減する支払い（仕入れ、外注費など）

採算の分かれ目となる売上金額 → これより少ない売上では事業が成り立たない

PART 7

1年間のソントクの総まとめ　決算・確定申告

197

●巻末資料●

主な固定資産の
耐用年数／償却率表

減価償却は、帳簿つけでとまどうポイントの1つです。
しかし、会計ソフトなら、当てはまる耐用年数と償却率を、
以下の表からピックアップして、固定資産台帳に入力すればよいのです。
計算自体は、ソフトにまかせておけばOKです。

構造・用途	細目	耐用年数	償却率（定額法）
○建物			
鉄骨鉄筋または鉄筋コンクリート造	事務所用	50年	0.020
	飲食店用（延べ面積のうち、木造内装部分が3割を超えるものは34年）	41年	0.025
	店舗用	39年	0.026
れんが造、石造またはブロック造	事務所用	41年	0.025
	飲食店用	38年	0.027
	店舗用	38年	0.027
金属造（骨格材の厚さ4ミリ超）	事務所用	38年	0.027
	飲食店用	31年	0.033
	店舗用	34年	0.030

金属造 （骨格材の厚さ3ミリ超 4ミリ以下）	事務所用	30 年	0.034
	飲食店用	25 年	0.040
	店舗用	27 年	0.038
金属造 （骨格材の厚さ3ミリ以下）	事務所用	22 年	0.046
	飲食店用	19 年	0.053
	店舗用	19 年	0.053
木造または合成樹脂造	事務所用	24 年	0.042
	飲食店用	20 年	0.050
	店舗用	22 年	0.046
木骨モルタル造	事務所用	22 年	0.046
	飲食店用	19 年	0.053
	店舗用	20 年	0.050

○車両

以下、償却率は上段・定額法、下段・定率法

自動車（一般用）* ＊運送事業用、タクシー用などを除く。	小型車（総排気量が 0.66 リットル以下）	4 年	0.250 0.500
	貨物自動車（ダンプ式のもの、その他のものは5年）	4 年	0.250 0.500
	その他	6 年	0.167 0.333
	二輪または三輪自動車（バイクなど）	3 年	0.334 0.667

○器具や備品

家具、電気機器、 ガス機器および家庭用品	事務机、 事務いす、 キャビネット	主として金属製	15 年	0.067 0.133
		その他	8 年	0.125 0.250

注・定率法の償却率は、平成 24 年 4 月 1 日以後に取得した資産の場合。

家具、電気機器、ガス機器および家庭用品（前ページからの続き）	応接セット	接客業用	5年	0.200 0.400
		その他	8年	0.125 0.250
	ベッド		8年	0.125 0.250
	ラジオ、テレビ、テープレコーダー、その他の音響機器		5年	0.200 0.400
	冷房用または暖房用機器		6年	0.167 0.333
	電気冷蔵庫、電気洗濯機、その他これらに類する電気またはガス機器		6年	0.167 0.333
	カーテン、座布団、寝具、丹前、その他これらに類する繊維製品		3年	0.334 0.667
	じゅうたん、その他の床用敷物	小売業用、接客業用など	3年	0.334 0.667
		その他	6年	0.167 0.333
	室内装飾品	主として金属製	15年	0.067 0.133
		その他	8年	0.125 0.250
	食事または厨房用品	陶磁器製またはガラス製	2年	0.500 1.000
		その他	5年	0.200 0.400
事務機器、通信機器	電子計算機	パソコン（サーバー用を除く）	4年	0.250 0.500
	複写機、計算機（電子計算機を除く）、金銭登録機（レジスター）、タイムレコーダー		5年	0.200 0.400
	その他の事務機器		5年	0.200 0.400
	ファクシミリ		5年	0.200 0.400
光学機器、写真製作機器	カメラ、映画撮影機、映写機		5年	0.200 0.400

看板、広告器具	看板、ネオンサイン		3年	0.334 0.667
	マネキン人形、模型		2年	0.500 1.000
	その他	主として金属製のもの	10年	0.100 0.200
		その他	5年	0.200 0.400

○無形固定資産

特許権		8年	0.125
実用新案権		5年	0.200
意匠権		7年	0.143
商標権		10年	0.100
ソフトウェア	複写して販売するための原本	3年	0.334
	その他	5年	0.200

プラスアルファの知識

平成24年3月31日以前の固定資産に注意

　減価償却の計算方法は、平成19年に大きく改正されました。そのため、平成19年4月1日以後に取得した固定資産と、平成19年3月31日以前に取得していた固定資産では、計算式や償却率が異なります（下の式参照・旧定額法の場合）。

　さらに平成24年4月1日以後に取得した固定資産から、定率法の償却率が改正されています。平成24年3月31日以前に取得した固定資産の扱いには注意が必要です（詳細は国税庁のホームページ参照）。

（旧定額法の計算式）　取得価額 × 90% × 償却率（旧定額法）

さくいん

▼あ

青色事業専従者 …………………… 30

青色事業専従者給与 ………… 20,30,48

青色事業専従者給与に
　関する届出書 ……………… 31,42,48

青色申告 ……12,14,16,18,20,24,60,68

青色申告会 ………………………… 116

青色申告決算書 …………38,158,168

青色申告事業者 …………………… 42

青色申告特別控除 ……… 20,24,26,171

青色申告取り消し ………………… 68

預り金 …………………… 89,113,124

按分（按分率）…37,130,140,142,144

e-Tax …………………………… 188

一括償却資産 ……………………… 98

移動平均法 ……………………… 165

医療費控除 ……………………… 183

印紙 ………………………………… 74

インボイス制度 ………22,58,78,132

インボイス発行事業者 ……58,78,132

受取手形 ………………… 88,109

内金 ……………………………… 122

売上原価 ………………… 162,168

売上高 …………………………… 87,94

売上戻し ………………………… 118

売上割戻 ………………………… 118

売掛金 ………… 88,94,108,128,161

売掛帳 ……………………54,82,84,94

延滞税 ……………………… 69,193

▼か

買掛金 ……………… 89,96,113,161

買掛帳 ……………………54,82,84,96

開業費 ……………………… 156,161

会計ソフト ……………… 18,64,80

外注工賃 ………………………… 88,111

確定申告 …………………… 12,176

確定申告書 ……… 158,176,178,180

確定申告書等作成コーナー ……… 188

掛け売り …………………………… 32,94

掛け買い ……………………………… 32

貸方 ……………………………… 104,106

家事関連費 ……………………… 37,142

家事消費 ………………………… 118

貸倒金（貸倒損失）………88,111,128

貸倒引当金…32,89,113,128,160,170

貸倒引当金の戻入 ………………… 160

貸付金 …………………………… 88,109

過少申告加算税 ………………… 193

可処分所得…………………………… 197

課税期間分の消費税及び
　地方消費税の確定申告書 ……… 135

課税事業者…………………22,58,132

寡婦控除………………………… 186

借入金…………………………… 89,113

借方 ……………… 104,106,108,110

簡易課税………………………… 133,134

簡易簿記…………………………… 52,54

勘定科目…………………………… 86,106

機械装置………………………… 89,109

期首 ………………………………… 60

基礎控除…………………………… 187

寄付金控除………………………… 186

期末 ………………………………… 60

旧定額法…………………………… 201

給与支払義務者 ………………… 124

給与支払事務所等の開設届出書 … 42,50

給与台帳………………………… 100

給料賃金…………………………88,111,171

均等償却…………………………… 161

勤労学生控除 …………………… 187

繰延資産………………… 140,156,161

軽減税率…………………………… 132

慶弔金…………………………… 150

経費帳………………………… 54,100

経費率…………………………… 138

契約書……………………………… 72

決算 ………………………………… 158

決算整理…………… 158,160,162,166

月次残高試算表 ………………… 101

減価償却……34,98,126,151,152,166

減価償却費…………… 87,111,166,173

原価法……………………………… 165

現金 …………………………… 88,109

現金式簡易簿記 ………………… 52,54

現金主義…………………………… 54,62

現金出納帳………………54,82,84,90

源泉所得税の納期の特例の
　承認に関する申請書………… 43,50

源泉徴収…………………………48,50,124

源泉徴収票 ……………………… 46,156

原則課税………………………… 133,134

203

工具 器具 備品	89,109
広告宣伝費	87,111,151
更正の請求書	190
交通費精算書	149
小口現金	90
個人事業開始申告書	46
個人事業税	17
個人事業の開業・廃業等届出書	42,43,46
固定資産	34,98,126,166
固定資産台帳	54,82,84,98,126
個別法	165

▼さ

債権債務記入帳	54,100
最終仕入原価法	164
雑収入	87,115
雑損控除	186
雑費	88,111,155
残高試算表	158
山林所得	15
仕入税額控除	134
仕入高	87,96,111,147
仕入戻し	118

仕入割戻	118
仕掛品	165
敷金	140
事業所得	14,17
事業的規模	26,52
事業主貸	89,109,118,130,142,166
事業主借	89,90,113,130,142,166
自己資本比率	197
資産	88,89,106,108
資産の部	174
試算表	36
地震保険料控除	184
実地棚卸	162
支払手形	89,113
支払手数料	120,140
資本	89,106,112
資本的支出	152
事務用品費	154
社会保険料控除	183
車両運搬具	89,102,109
車両費	102
収益	87,106,114
重加算税	193
修正申告	193

修正申告書……………………… 190	白色申告……………………… 12,18,53
修繕費………………87,111,152	仕訳………………52,56,104,120
住民税……………………………16	仕訳帳……………………… 56,82
出金伝票………………… 76,82	仕訳帳方式……………………… 80
出張手当………………………… 148	新聞図書費………………… 88,111
主要簿…………………… 56,83	推計課税………………………… 36
純損失の繰越控除…………20,28,190	水道光熱費………………87,111,142
純損失の繰戻 …………………… 28	税額控除…………………… 177,187
障害者控除……………………… 187	請求書…………………………… 72
小規模企業共済 ………………… 40	生計を一にする ………………… 30
小規模企業共済等掛金控除	税込方式…………………… 133,134
……………………………… 40,186	税抜方式…………………… 133,134
消費税…………………16,132,134	税務調査………………………… 192
消費税課税事業者選択届出書…… 133	生命保険料控除 ………………… 40,184
消費税課税事業者届出書………… 133	税理士…………………………… 116
消耗品費…………… 87,111,125,154	税理士会………………………… 116
除却…………………………… 166	接待交際費………………87,111,150
所得…………………………… 12,14	専従者給与……………………… 171
所得控除…………………… 177,182	専従者控除……………………… 30
所得税……………………………16	総勘定元帳………………… 56,82
所得税の青色申告承認申請書… 42,44	総平均法………………………… 165
所得税の棚卸資産の評価方法、 　減価償却資産の償却方法の届出書	租税公課………………87,111,144
………………………………42	損益計算書
処分可能価額 …………………… 164	……… 39,57,106,110,168,170,172

205

損益通算 …………………………… 28,190

損益分岐点売上高 ……………………… 197

損害保険料 ……………………… 87,111,153

損失申告 …………………………………… 190

▼た

第一表 …………………………… 178,180

貸借対照表 … 39,57,106,168,174,194

第二表 …………………………… 178,180

耐用年数 ……………………………… 34,126

第四表（損失申告用）…………… 190

建物 …………………………………… 89,109

棚卸 …………………………………………… 162

棚卸資産 ……………… 88,109,162,164

棚卸表 ……………………………………… 162

単純平均法 …………………………………… 165

地代家賃 ……………… 88,111,140,171

帳簿 ………………………… 18,52,62,64,66

帳簿方式 …………………………………… 80

通信費 ……………………… 87,111,146

通帳 …………………………………………… 70

定額法 …………………………………………… 98

低価法 ……………………………………… 164

訂正申告 …………………………………… 190

定率法 …………………………………………… 98

手書き帳簿 …………………………………… 64

手形記入帳 …………………………… 54,100

手付金 …………………………… 122,161

電子帳簿保存 ………………………………… 66

伝票方式 …………………………………………… 80

電話加入権 ……………………… 89,109

当期純利益率 ……………………………… 197

登録番号 ……………………………………… 22

土地 ……………………………… 89,109

取引 ……………………………… 63,115

▼な

荷造運賃 ……………………… 87,111,146

任意償却 ……………………………………… 161

値引き ……………………………………… 118

納品書 …………………………………………… 72

▼は

配偶者控除 ……………………… 31,185

配偶者特別控除 ……………………… 185

発生主義 ……………………… 54,62

必要経費 …………………… 25,138

費用 ……………… 87,88,106,110

複合取引 …………………… 120

複式簿記 ………………52,56,104

福利厚生費 ………………87,111,150

負債 ………………89,106,112

負債・資本の部 ………………… 175

普通預金 …………………… 88,109

復興特別所得税 …………17,177,179

不動産所得 ………………… 15,52

扶養控除 …………………… 185

振替伝票 …………………… 120

不良債権 …………………… 33

法人成り …………………… 136

簿記 ………………………… 18

補助簿 ……………………… 56,83

▼ま

前受金 ………………… 89,113,122,161

前払金 ……………………88,109,161

前渡金 ……………………… 122

見積書 ……………………… 72

みなし仕入率 ………………… 134

未払金 ………89,96,113,123,125,161

未払金帳 …………………… 125

無申告加算税 ………………… 69

免税事業者 …………22,58,78,80,132

元入金 ………………89,112,194

▼や

有価証券 …………………… 88,109

預金出納帳 …………54,70,82,84,92

▼ら

リース料 …………………… 88,111

利子割引料 ………… 88,111,123,172

領収書 ………………… 74,76,150

旅費交通費 ………………87,111,148

レジ現金 …………………… 90

207

●監修
税理士法人千代田タックスパートナーズ
税理士 今村 正（いまむら まさし）

昭和22年生まれ。昭和52年 税理士今村正事務所開設
現在、税理士法人千代田タックスパートナーズの代表社員、
元・東京富士大学非常勤講師（所得税法・法人税法担当）

●主な著書、監修書 『歯科医師安定化のプログラム』『再生良法』『歯科医
のための節税まいにち』『歯科医院経営のリスクファクター』デンタルダイ
ヤモンド社（いずれも共著）、『知識ゼロからの決算書の読み方』『知識ゼロ
からの簿記・経理入門』幻冬舎、『数字が苦手な人のための簿記「超」入門』
ナツメ社（いずれも監修）

●本文デザイン	はいちデザイン	●イラスト 須山奈津希
● DTP	株式会社明昌堂	
●編集協力	株式会社オフィス201	
●企画・編集	成美堂出版編集部	

本書に関する正誤等の最新情報は、下記のアドレスで確認することができます。
https://www.seibidoshuppan.co.jp/support/

上記アドレスに掲載されていない箇所で、正誤についてお気づきの場合は、書名・発行日・質問事項・
氏名・住所（またはFAX番号）を明記の上、**成美堂出版**まで**郵送**またはFAXでお問い合わせください。
※電話でのお問い合わせはお受けできません。
※本書の正誤に関するご質問以外にはお答えできません。また、税務相談などは行っておりません。
※ご質問の到着確認後、10日前後に、回答を普通郵便またはFAXで発送いたします。
※ご質問の受付期限は、2025年11月末到着分までといたします。

図解 いちばんやさしく丁寧に書いた青色申告の本 '25年版

2024年12月10日発行

監 修	税理士法人千代田タックスパートナーズ
発行者	深見公子
発行所	成美堂出版
	〒162-8445 東京都新宿区新小川町1-7
	電話(03)5206-8151 FAX(03)5206-8159
印 刷	共同印刷株式会社

ⒸSEIBIDO SHUPPAN 2024 PRINTED IN JAPAN
ISBN978-4-415-33500-1
落丁・乱丁などの不良本はお取り替えします
定価はカバーに表示してあります

・本書および本書の付属物を無断で複写、複製（コピー）、引用する
ことは著作権法上での例外を除き禁じられています。また代行業者
等の第三者に依頼してスキャンやデジタル化することは、たとえ個人
や家庭内の利用であっても一切認められておりません。